OLHOS D'ÁGUA

Conceição Evaristo

Conceição Evaristo

OLHOS D'ÁGUA

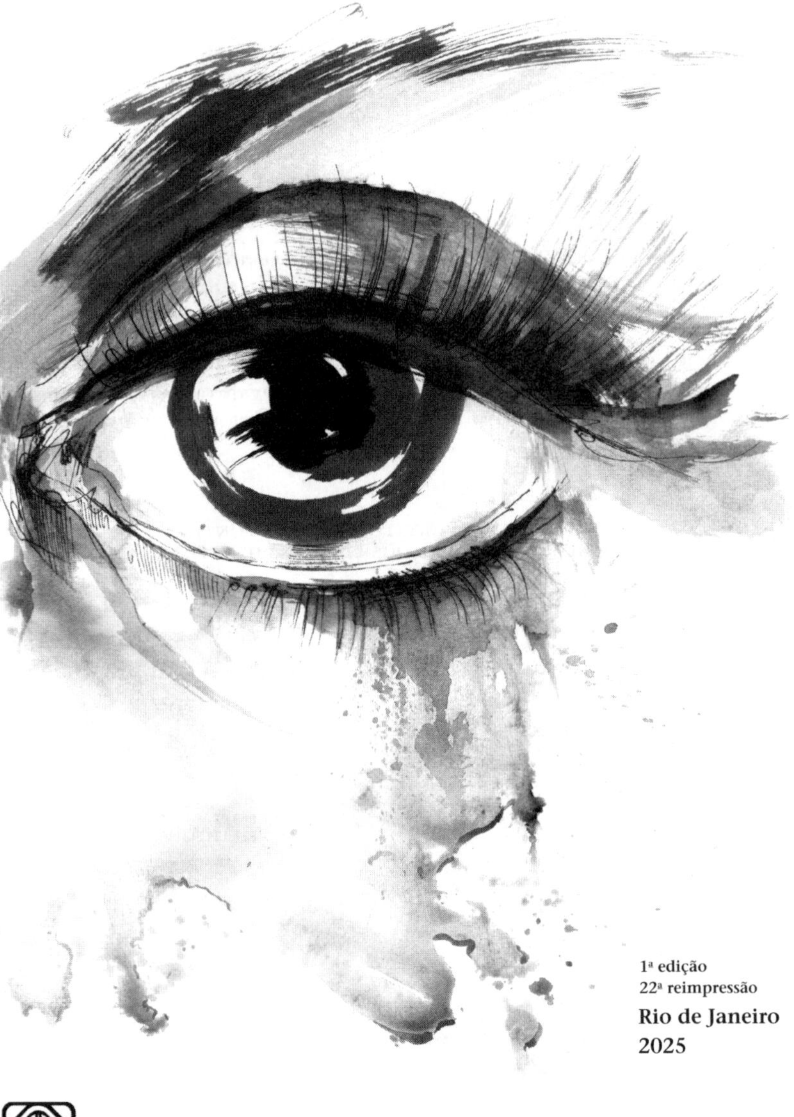

1ª edição
22ª reimpressão
Rio de Janeiro
2025

Copyright © 2014
Conceição Evaristo

Editoras
Cristina Fernandes Warth
Mariana Warth

Produção editorial
Aron Balmas
Livia Cabrini

Revisão
Léia Coelho

Capa e diagramação
Aron Balmas

Esta publicação foi realizada com recursos do Edital de Apoio à Coedição de Livros de Autores Negros, da Fundação Biblioteca Nacional, do Ministério da Cultura, em parceria com a Secretaria de Políticas de Promoção da Igualdade Racial da Presidência da República – SEPPIR/PR.

Este livro segue as novas regras do Acordo Ortográfico da Língua Portuguesa.

Todos os direitos reservados à Pallas Editora e Distribuidora Ltda. É vetada a reprodução por qualquer meio mecânico, eletrônico, xerográfico etc., sem a permissão por escrito da editora, de parte ou totalidade do material escrito.

CIP-BRASIL. CATALOGAÇÃO-NA-FONTE
SINDICATO NACIONAL DOS EDITORES DE LIVROS, RJ

E94o

Evaristo, Conceição
  Olhos d'água / Conceição Evaristo. - 1. ed. - Rio de Janeiro : Pallas: Fundação Biblioteca Nacional, 2016.
  116 p. : il. ; 21 cm.

ISBN 978-85-347-0525-7 (Pallas Editora)
ISBN 978-85-333-0739-1 (Biblioteca Nacional)

1. Ficção brasileira. I. Fundação Biblioteca Nacional. II. Título.

14-17384   CDD: 869.93
                                           CDU: 821.134.3(81)-3

Pallas Editora e Distribuidora Ltda.
Rua Frederico de Albuquerque, 56 – Higienópolis
CEP 21050-840 – Rio de Janeiro – RJ
Tel./fax: 21 2270-0186
www.pallaseditora.com.br
pallas@pallaseditora.com.br

Sumário

Prefácio, **9**
Introdução, **13**
Olhos d'água, **15**
Ana Davenga, **21**
Duzu-Querença, **31**
Maria, **39**
Quantos filhos Natalina teve?, **43**
Beijo na face, **51**
Luamanda, **59**
O *cooper* de Cida, **65**
Zaíta esqueceu de guardar os brinquedos, **71**
Di lixão, **77**
Lumbiá, **81**
Os amores de Kimbá, **87**
Ei, Ardoca, **95**
A gente combinamos de não morrer, **99**
Ayoluwa, a alegria de nosso povo, **111**

PREFÁCIO
"Minha mãe sempre costurou a vida com fios de ferro."

As palavras acima, de uma personagem do conto "A Gente combinamos de não morrer", constituem contundente epígrafe para um comentário sobre *Olhos d`água*, esta nova coleção de contos de Conceição Evaristo. Trata-se de frase--chave que enfeixa o turbilhão de questões sociais e existenciais recorrentes na escrita da autora, a presidir sua construção ficcional e a reiterar sua unidade temática.

Como antes em sua obra ficcional, poética, ensaística, Conceição ajusta o foco de seu interesse na população afro--brasileira abordando, sem meias palavras, a pobreza e a violência urbana que a acometem: "Ultimamente na favela tiroteios aconteciam com frequência e a qualquer hora", lemos em "Zaíta esqueceu de guardar os brinquedos".

Sem sentimentalismos facilitadores, mas sempre incorporando a tessitura poética à ficção, os contos de Conceição Evaristo apresentam uma significativa galeria de mulheres — Ana Davenga, a mendiga Duzu-Querença, Natalina, Luamanda, Cida, a menina Zaíta. Ou serão todas a mesma mulher, captada e recriada no caleidoscópio da literatura, em variados instantâneos da vida? Diferem elas em idade e em conjunturas de experiências, mas compartilham da mesma vida de ferro, equilibrando-se na "frágil vara" que, lemos no conto "O *cooper* de Cida", é a "corda bamba do tempo".

Na verdade, essa mulher de muitas faces é emblemática de milhões de brasileiras na sociedade de exclusões que é a nossa. Frágil vara, corda bamba, fios de ferro, ferro de passar, a dança das metáforas as enlaça e reconstrói a vida de pessoas despossuídas a qual expressa, apesar de tudo, uma vitalidade própria que o texto de Conceição insiste em celebrar: "Era tudo tão doce, tão gozo, tão dor!", sintetiza "Ana Davenga". Os contos, assim, equilibram-se entre a afirmação e a negação, entre a denúncia e a celebração da vida, entre o nascimento e a morte: "Brevemente iria parir um filho. Um filho que fora concebido nos frágeis limites da vida e da morte." ("Quantos filhos Natalina teve?").

No livro estão presentes mães, muitas mães. E também filhas, avós, amantes, homens e mulheres — todos evocados em seus vínculos e dilemas sociais, sexuais, existenciais, numa pluralidade e vulnerabilidade que constituem a humana condição. Sem quaisquer idealizações, são aqui recriadas com firmeza e talento as duras condições enfrentadas pela comunidade afro-brasileira.

A abrangência de tal problemática ultrapassa, decerto, o mundo negro, assim como transcende o dia de hoje. Os contos, sempre fincados no fugidio presente, abarcam o passado e interrogam o futuro. Sintomaticamente, são muitos e diversos os velhos e as crianças que os habitam. O passado é inevitavelmente implacável, o futuro, em geral, duvidoso, certas vezes inexoravelmente negado. É o caso, por exem-

PREFÁCIO

plo, do pivete Lumbiá, ou do menino Lixão, nos contos que levam os seus nomes: "E [Lixão] foi se encolhendo, se enroscando até ganhar a posição de feto." A força simbólica de tal regressão física e emocional é de uma síntese irreparável.

Em seu percurso, o livro, além do mundo de mulheres e de meninos, incorpora homens como protagonistas (Quimbá, Ardoca), cuja perspectiva, ocasionalmente, passa a comandar a narração. Ouso dizer que o fluxo narrativo atinge o seu clímax no já citado "A gente combinamos de não morrer" em que, pela primeira vez, diversos narradores encaminham a ação. Fragmenta-se uma univocidade feminina, por mais dispersa e múltipla que esta já fosse. A par disso, constata-se, num crescendo, um estilhaçar ficcional que o texto assume ao reduplicar a precariedade de seus personagens, para quem "às vezes a morte é leve como a poeira. E a vida se confunde com um pó branco qualquer". O conto implode a sua própria técnica narrativa. Em um verdadeiro avesso de apoteose, o texto ficcional, paradigmático da sociedade, também se pulveriza: "Alguém cantou a pedra e o segredo foi rompido. A desgraça vaza dos poros da terra. O mundo explode. Seres de mil mãos agarram tudo. Nada escapa." Atenção, leitor. É com você, é conosco, é com todos, que aqui se fala.

Mas a positividade textual prevalece, apesar de tudo. Uma positividade em que escrever é, certamente, "uma maneira de sangrar"; mas também de invocar e evocar vidas costuradas "com fios de ferro" — porém aqui preservadas com a persistente costura dos fios da ficção, em que também se almeja e se combina, incansavelmente, não decerto a imortalidade, mas a tenaz vitória humana, a cada geração, sobre a morte.

Heloisa Toller Gomes

Introdução

A mulher negra tem muitas formas de estar no mundo (todos têm). Mas um contexto desfavorável, um cenário de discriminações, as estatísticas que demonstram pobreza, baixa escolaridade, subempregos, violações de direitos humanos, traduzem histórias de dor. Quem não vê? Parcelas da sociedade estão dizendo para você que este é o cenário. As leituras que se fazem dele traz possibilidades em extremos: pode se ver tanto a mulher destituída, vivendo o limite do ser-que-não-pode-ser, inferiorizada, apequenada, violentada. Pode-se ver também aquela que nada, buscando formas de surfar na correnteza. A que inventa jeitos de sobrevivência, para si, para a família, para a comunidade. Pode-se ver a que é derrotada, expurgada. Mas, se prestar um pouco mais atenção, vai ver outra. Vai ver Caliban (o escravo de Sheakespeare em *A Tempestade*) atualizado, vivo, pujante. Aquele que aprende a língua do senhor e constrói a liberdade de *maldizer*!

Ao subverter a língua de Próspero — o homem branco —, Caliban — a mulher negra — abre caminho para a liberdade. Radicaliza o jogo. Expõe as regras do jogo que joga: conta o segredo. Descortina o mistério. Aqui, instala-se a cultura de *arkhé* atualizada, como expressou Muniz Sodré. Atesta-se a presença e o poder de uma tradição viva.

Neste livro encontrei outra vez Caliban ocupado em muitas subversões. Era Iyalodê, a que fala pelas mulheres que não podem falar, contando, dizendo, amaldiçoando. Era Oxum, às portas da casa de Oxalá, amaldiçoando a pobreza e a injustiça que recaía sobre as mulheres. E crescendo em força e poder, transformando-se na dona de toda a riqueza...

É assim que as mulheres, nós mulheres negras, buscamos formas de ser no mundo. De contar o mundo como forma de apropriarmo-nos dele. De nomeá-lo. De *nommo*, o axé, a palavra que movimenta a existência.

É assim que Conceição Evaristo inventa este mundo que existe. De Ana Davenga, Maria, Duzu-Querença, Natalina, Salinda, Luamanda, Cida, Zaíta, Maíta. E desses meninos/homens perdidos, herdeiros de mães sem nome, herança que as mulheres deixaram e que ninguém quis receber. São histórias duras de derrota, de morte, machucados. São histórias que insistem em dizer o que tantos não querem dizer. O mundo que é dito existe. Suas regras, explícitas.

O lugar de mero ouvinte é desautorizado. Nesta literatura/cultura, a palavra que é dita reivindica o corpo presente. O que quer dizer ação.

Conceição, Iyalodê, canta sua cantiga. Conta. Propaga o axé. Aqui, convida-nos a cantar com ela. Fazer existir outro mundo. Eu agradeço.

Jurema Werneck

Olhos d'água

Uma noite, há anos, acordei bruscamente e uma estranha pergunta explodiu de minha boca. De que cor eram os olhos de minha mãe? Atordoada, custei reconhecer o quarto da nova casa em que eu estava morando e não conseguia me lembrar de como havia chegado até ali. E a insistente pergunta martelando, martelando. De que cor eram os olhos de minha mãe? Aquela indagação havia surgido há dias, há meses, posso dizer. Entre um afazer e outro, eu me pegava pensando de que cor seriam os olhos de minha mãe. E o que a princípio tinha sido um mero pensamento interrogativo, naquela noite, se transformou em uma dolorosa pergunta carregada de um tom acusativo. Então eu não sabia de que cor eram os olhos de minha mãe?

Sendo a primeira de sete filhas, desde cedo busquei dar conta de minhas próprias dificuldades, cresci rápido, passando por uma breve adolescência. Sempre ao lado de minha mãe, aprendi a conhecê-la. Decifrava o seu silêncio nas horas de dificuldades, como também sabia reconhecer, em seus gestos, prenúncios de possíveis alegrias. Naquele momento, entretanto, me descobria cheia de culpa, por não recordar de que cor seriam os seus olhos. Eu achava tudo muito estranho, pois me lembrava nitidamente de vários detalhes do corpo dela. Da unha encravada do dedo mindinho do pé esquerdo... da verruga que se perdia no meio de uma cabeleira crespa e bela... Um dia, brincando de pentear boneca, alegria que a mãe nos dava quando, deixando por uns momentos o lava-lava, o passa-passa das roupagens alheias e se tornava uma grande boneca negra para as filhas, descobrimos uma bolinha escondida bem no couro cabeludo dela. Pensamos que fosse carrapato. A mãe cochilava e uma de minhas irmãs, aflita, querendo livrar a boneca-mãe daquele padecer, puxou rápido o bichinho. A mãe e nós rimos e rimos e rimos de nosso engano. A mãe riu tanto, das lágrimas escorrerem. Mas de que cor eram os olhos dela?

Eu me lembrava também de algumas histórias da infância de minha mãe. Ela havia nascido em um lugar perdido no interior de Minas. Ali, as crianças andavam nuas até bem grandinhas. As meninas, assim que os seios começavam a brotar, ganhavam roupas antes dos meninos. Às vezes, as histórias da infância de minha mãe confundiam-se com as de minha própria infância. Lembro-me de que muitas vezes, quando a mãe cozinhava, da panela subia cheiro algum. Era como se cozinhasse, ali, apenas o nosso desesperado desejo de alimento. As labaredas, sob a água solitária que fervia na panela cheia de fome, pareciam debochar do vazio do nosso estômago, ignorando nossas bocas infantis em que as línguas brincavam a salivar sonho de comida. E era justamente nesses dias de parco ou nenhum alimento que ela mais brincava com as filhas. Nessas ocasiões, a brincadeira preferida era aquela em que a mãe era a Senhora, a Rainha. Ela se assentava em seu trono, um pequeno banquinho de madeira. Felizes, colhíamos flores cultivadas em um pequeno pedaço de terra que circundava o nosso barraco. As flores eram depois solenemente distribuídas por seus cabelos, braços e colo. E diante dela fazíamos reverências à Senhora. Postávamos deitadas no chão e batíamos cabeça para a Rainha. Nós, princesas, em volta dela, cantávamos, dançávamos, sorríamos. A mãe só ria de uma maneira triste e com um sorriso molhado... Mas de que cor eram os olhos de minha mãe? Eu sabia, desde aquela época, que a mãe inventava esse e outros jogos para distrair a nossa fome. E a nossa fome se distraía.

Às vezes, no final da tarde, antes que a noite tomasse conta do tempo, ela se sentava na soleira da porta e, juntas, ficávamos contemplando as artes das nuvens no céu. Umas viravam carneirinhos; outras, cachorrinhos; algumas, gigantes adormecidos, e havia aquelas que eram só nuvens, algodão doce. A mãe, então, espichava o braço, que ia até o céu, colhia aquela nuvem, repartia em pedacinhos e enfiava rápido na boca de cada uma de nós. Tudo tinha de ser muito rápido, antes que a nuvem derretesse e com ela os nossos sonhos se esvaecessem também. Mas de que cor eram os olhos de minha mãe?

Lembro-me ainda do temor de minha mãe nos dias de fortes chuvas. Em cima da cama, agarrada a nós, ela nos protegia com seu abraço. E com os olhos alagados de prantos balbuciava rezas a Santa Bárbara, temendo que o nosso frágil barraco desabasse sobre nós. E eu não sei se o lamento-pranto de minha mãe, se o barulho da chuva... Sei que tudo me causava a sensação de que a nossa casa balançava ao vento. Nesses momentos os olhos de minha mãe se confundiam com os olhos da natureza. Chovia, chorava! Chorava, chovia! Então, por que eu não conseguia lembrar a cor dos olhos dela?

E naquela noite a pergunta continuava me atormentando. Havia anos que eu estava fora de minha cidade natal. Saíra de minha casa em busca de melhor condição de vida para mim e para minha família: ela e minhas irmãs tinham ficado para trás. Mas eu nunca esquecera a minha mãe. Reconhecia a importância dela na minha vida, não só dela, mas de minhas tias e de todas as mulheres de minha família. E também, já naquela época, eu entoava cantos de louvor a todas as nossas ancestrais, que desde a África vinham arando a terra da vida com as suas próprias mãos, palavras e sangue. Não, eu não esqueço essas Senhoras, nossas Yabás, donas de tantas sabedorias. Mas de que cor eram os olhos de minha mãe?

E foi então que, tomada pelo desespero por não me lembrar de que cor seriam os olhos de minha mãe, naquele momento resolvi deixar tudo e, no dia seguinte, voltar à cidade em que nasci. Eu precisava buscar o rosto de minha mãe, fixar o meu olhar no dela, para nunca mais esquecer a cor de seus olhos.

Assim fiz. Voltei, aflita, mas satisfeita. Vivia a sensação de estar cumprindo um ritual, em que a oferenda aos Orixás deveria ser a descoberta da cor dos olhos de minha mãe.

E quando, após longos dias de viagem para chegar à minha terra, pude contemplar extasiada os olhos de minha mãe, sabem o que vi? Sabem o que vi?

Vi só lágrimas e lágrimas. Entretanto, ela sorria feliz. Mas eram tantas lágrimas, que eu me perguntei se minha mãe tinha olhos ou rios caudalosos sobre a face. E só então compreendi. Minha mãe trazia, serenamente em si, águas correntezas. Por isso, prantos e prantos a enfeitar o seu rosto. A cor dos olhos de minha mãe era cor de olhos d'água. Águas de Mamãe Oxum! Rios calmos, mas profundos e enganosos para quem contempla a vida apenas pela superfície. Sim, águas de Mamãe Oxum. Abracei a mãe, encostei meu rosto no dela e pedi proteção. Senti as lágrimas delas se misturarem às minhas.

Hoje, quando já alcancei a cor dos olhos de minha mãe, tento descobrir a cor dos olhos de minha filha. Faço a brincadeira em que os olhos de uma se tornam o espelho para os olhos da outra. E um dia desses me surpreendi com um gesto de minha menina. Quando nós duas estávamos nesse doce jogo, ela tocou suavemente no meu rosto, me contemplando intensamente. E, enquanto jogava o olhar dela no meu, perguntou baixinho, mas tão baixinho, como se fosse uma pergunta para ela mesma, ou como estivesse buscando e encontrando a revelação de um mistério ou de um grande segredo. Eu escutei quando, sussurrando, minha filha falou:

— Mãe, qual é a cor tão úmida de seus olhos?

Ana Davenga

As batidas na porta ecoaram como um prenúncio de samba. O coração de Ana Davenga naquela quase meia-noite, tão aflito, apaziguou um pouco. Tudo era paz então, uma relativa paz. Deu um salto da cama e abriu a porta. Todos entraram, menos o seu. Os homens cercaram Ana Davenga. As mulheres, ouvindo o movimento vindo do barraco de Ana, foram também. De repente, naquele minúsculo espaço coube o mundo. Ana Davenga reconhecera a batida. Ela não havia confundido a senha. O toque prenúncio de samba ou de macumba estava a dizer que tudo estava bem. Tudo em paz, na medida do possível. Um toque diferente, de batidas apressadas dizia de algo mau, ruim, danoso no ar. O toque que ela ouvira antes não prenunciava desgraça alguma. Se era assim, onde andava o seu, já que os das outras estavam ali? Por onde andava o seu homem? Por que Davenga não estava ali? Davenga não estava ali. Os homens rodearam Ana com cuidado, e as mulheres também. Era preciso cuidado. Davenga era bom. Tinha um coração de Deus, mas, invocado, era o próprio diabo. Todos haviam aprendido a olhar Ana Davenga. Olhavam a mulher buscando não perceber a vida e as delícias que explodiam por todo o seu corpo. O barraco de Davenga era uma espécie de quartel-general, e ele era o chefe. Ali se decidia tudo. No princípio, os companheiros de Davenga olharam Ana com ciúme, cobiça e desconfiança. O homem morava sozinho. Ali armava e confabulava com os outros todas as proezas. E de repente, sem consultar os companheiros, mete ali dentro uma mulher. Pensaram em escolher outro chefe e outro local para quartel-general, mas não tiveram coragem. Depois de certo tempo, Davenga comunicou a todos que aquela mulher ficaria com ele e nada mudaria. Ela era cega, surda e muda no que se referia a assuntos deles. Ele, entretanto, queria dizer mais uma coisa: qualquer um que bulisse com ela haveria de morrer sangrando nas mãos dele feito porco capado. Os amigos entenderam. E quando o desejo aflorava ao vislumbrar os peitos-maçãs salientes da mulher, algo como uma dor profunda doía nas partes de baixo deles. O desejo abaixava então, esvanecendo, diluindo a possibilidade de ereção do prazer. E Ana passou a ser quase uma irmã que povoava os sonhos incestuosos dos homens comparsas dos delitos e dos crimes de Davenga.

    O peito de Ana Davenga doía de temor. Todos estavam ali, menos o dela. Os homens rodeavam Ana. E as mulheres, como se estivessem formando pares para uma dança, rodeavam seus companheiros, parando atrás de seu homem certo. Ana olhou todos e não percebeu tristeza alguma. O que seria aquilo? Estariam guardando uma dor profunda e apenas mascarando o sofrimento para que ela não sofresse? Seria alguma brincadeira de Davenga? Ele estaria escondido por ali? Não! Davenga não era homem de tais modos! Ele até brincava; porém, só com os companheiros. Assim mesmo de uma brincadeira bruta. Socos, pontapés, safanões, tapas, "seus filhos da puta"... Mais parecia briga. Onde estava Davenga? Teria se metido em alguma confusão? Sim, seu homem só tinha tamanho. No mais era criança em tudo. Fazia coisas que ela nem gostava de pensar. Às vezes, ficava dias e dias, meses até, foragido, e quando ela menos esperava dava com ele dentro de casa. Pois é, Davenga parecia ter mesmo o poder de se tornar invisível. Um pouco que ela saía para buscar roupas no varal ou falar um tantinho com as amigas, quando voltava dava com ele, deitado na cama. Nuzinho. Bonito o Davenga vestido com a pele que Deus lhe deu. Uma pele negra, esticada, lisinha, brilhosa. Ela mal fechava a porta e se abria todinha para o seu homem. Davenga! Davenga! E aí acontecia o que ela não entendia. Davenga que era tão grande, tão forte, mas tão menino, tinha o prazer banhado em lágrimas. Chorava feito criança. Soluçava, umedecia ela toda. Seu rosto, seu corpo ficavam úmidos das lágrimas de Davenga. E todas as vezes que ela via aquele homem no gozo-pranto, sentia uma dor intensa. Era como se Davenga estivesse sofrendo mesmo, e fosse ela a culpada. Depois, então, os dois, ainda de corpos nus, ficavam ali. Ela enxugando as lágrimas dele. Era tudo tão doce, tão gozo, tão dor! Um dia pensou em se negar para não ver Davenga chorando tanto. Mas ele pedia, caçava, buscava. Não restava nada a fazer, a não ser enxugar o gozo-pranto de seu homem.

Todos continuavam parados olhando Ana Davenga. Ela recordou que uns tempos atrás nenhum deles era amigo. Eram inimigos, quase. Eles detestavam Ana. Ela não os amava nem os odiava. Ela não sabia onde eles estavam na vida de Davenga. E, quando percebeu, viu que não poderia ter por eles indiferença. Teria de amá-los ou odiá-los. Optou por amá-los, então. Foi difícil. Eles não a queriam. Não era do agrado de nenhum deles aquela mulher dentro do quartel-general do chefe, sabendo de todos os segredos. Achavam que Davenga iria se dar mal e comprometer todo o grupo. Mas Davenga estava mesmo apaixonado pela mulher.

Quando Davenga conheceu Ana em uma roda de samba, ela estava ali, faceira, dançando macio. Davenga gostou dos movimentos do corpo da mulher. Ela fazia um movimento bonito e ligeiro de bunda. Estava tão distraída na dança que nem percebeu Davenga olhando insistentemente para ela. Naqueles dias, ele andava com temor no peito. Era preciso cuidado. Os homens estavam atrás dele. Tinha havido um assalto a um banco e o caixa descrevera alguém parecido com ele. A polícia já tinha subido o morro e entrado em seu barraco várias vezes. O pior é que ele não estava metido naquela merda. Seria burro de assaltar um banco ali mesmo no bairro, tão perto dele? Fazia os seus serviços mais longe, e além do mais não gostava de assaltos a bancos. Já até participara de alguns, mas achava o servicinho sem graça. Não dava tempo de ver as feições das vítimas. O que ele gostava mesmo era de ver o medo, o temor, o pavor nas feições e modos das pessoas. Quanto mais forte o sujeito, melhor. Adorava ver os chefões, os mandachuvas se cagando de medo, feito aquele deputado que ele assaltou um dia. Foi a maior comédia. Ficou na ronda perto da casa do homem. Quando ele chegou e saltou do carro, Davenga se aproximou.

— Pois é, doutor, a vida não tá fácil! Ainda bem que tem homem lá em cima como o senhor defendendo a gente, os pobres. — Era mentira. — Doutor, eu votei no senhor. — Era mentira também. — E não me arrependi. Veio visitar a família? Eu também tou indo ver a minha e quero levar uns presentinhos. Quero chegar bem-vestido, como o senhor.

O homem não deu trabalho algum. Pressentiu a arma que Davenga nem tinha sacado ainda. E, quando isto aconteceu, o próprio deputado já tinha adiantado o serviço entregando tudo. Davenga olhou a rua. Tudo ermo, tudo escuro. Madrugada e frio. Mandou que o homem abrisse o carro e pediu as chaves. O deputado tremia, as chaves tilintavam em suas mãos. Davenga mordeu o lábio, contendo o riso. Olhou o político bem no fundo dos olhos, mandou então que ele tirasse a roupa e foi recolhendo tudo.

— Não, doutor, a cueca não! Sua cueca não! Sei lá se o senhor tem alguma doença ou se tá com o cu sujo!

Quando arrecadou tudo, empurrou o homem para dentro do carro. Olhou para ele e balançou as chaves. Deu um adeus ao deputado, que correspondeu ao gesto. Davenga tinha o peito explodindo em gargalhadas, mas conteve o riso. Apertou o passo, tinha de abreviar. Eram três e quinze da madrugada. Daí a pouco, passaria por ali uma patrulhinha. Dias atrás ele havia estudado o ambiente.

Foi por aqueles dias do assalto ao deputado que Davenga conheceu Ana. A venda do relógio lhe havia rendido algum dinheiro, fora o que estava na carteira. E de cabeça leve resolveu ir com os amigos para o samba. Sabia, porém, que devia ficar atento. Estava atento, sim. Estava atento aos movimentos e à dança da mulher. Ela lhe lembrava uma bailarina nua, tal qual a que ele vira um dia no filme da televisão. A bailarina dançava livre, solta, na festa de uma aldeia africana. Só quando a bateria parou foi que Ana também parou e se encaminhou com as outras para o banheiro. Davenga assistia a tudo. Na volta ela passou por ele, olhou-o e deu-lhe um largo sorriso. Ele criou coragem. Era preciso coragem para chegar a uma mulher. Mais coragem até do que para fazer um serviço. Aproximou-se e convidou-a para uma cerveja. Ela agradeceu. Estava com sede, queria água e deu-lhe um sorriso mais profundo ainda. Davenga se emocionou. Lembrou da mãe, das irmãs, das tias, das primas e até da avó, a velha Isolina. Daquelas mulheres todas que ele não via fazia muitos anos, desde que começara a varar o mundo. Seria tão bom se aquela mulher quisesse ficar com ele, morar com ele, ser dele na vida dele. Mas como? Ele queria uma mulher, uma só. Estava cansado de não ter pouso certo. E a mulher que lhe lembrava a bailarina nua havia mexido com ele, com alguma coisa lá dentro dele. Ela lhe trouxera saudade de um tempo paz, um tempo criança, um tempo Minas. Ia tentar, ia tentar... Ana, a bailarina de suas lembranças, bebeu água enquanto Davenga enamorado tomava a cerveja, sem sentir o gosto do líquido. Quando terminou, pegou na mão da mulher e saiu. Os amigos de Davenga viram quando ele, descuidado de qualquer perigo, atravessou o terreiro da roda de samba e caminhou feito namorado puxando a mulher pela mão, ganhando o espaço lá fora, quase esquecido do perigo.

Desde aquele dia, Ana ficou para sempre no barraco e na vida de Davenga. Não perguntou de que o homem vivia. Ele trazia sempre dinheiro e coisas. Nos tempos em que ficava fora de casa, eram os companheiros dele que, através das mulheres, lhe traziam o sustento. Ela não estranhava nada. Muitas vezes, Davenga mandava que ela fosse entregar dinheiro ou coisas para as mulheres dos amigos dele. Elas recebiam as encomendas e mandavam perguntar quando e se seus homens voltariam. Davenga às vezes falava do regresso, às vezes, não. Ana sabia bem qual era a atividade de seu homem. Sabia dos riscos que corria ao lado dele. Mas achava também que qualquer vida era um risco e o risco maior era o de não tentar viver. E naquela noite primeira, no barraco de Davenga, depois de tudo, quando calmos e ele já de olhos enxutos, — ele havia chorado copiosamente no gozo-pranto — puderam conversar, Ana resolveu adotar o nome dele. Resolveu então que a partir daquele momento se chamaria Ana Davenga. Ela queria a marca do homem dela no seu corpo e no seu nome. Davenga gostara de Ana desde o primeiro momento até o sempre. Dera seu nome para Ana e se dera também. Fora com ela que descobrira e começara a pensar no porquê de sua vida. Fora com ela que começara a pensar nas outras mulheres que tivera antes. E uma lhe trazia um gosto de remorso. Ele havia mandado matar Maria Agonia. Conhecera a mulher ao visitar um companheiro na cadeia. O amigo armara uma e não se dera bem. A prisão devia ser horrível. Só em pensar tinha medo e desespero. Se um dia caísse preso e não conseguisse fugir, se mataria. E foi nessa única visita ao amigo que conheceu Maria Agonia. Ela vivia dizendo da agonia de uma vida sem o olhar do Senhor. Naquele dia, quando saíram da cadeia, ela veio conversando com Davenga. Era bonita, usava uma roupa abaixo do joelho, o cabelo amarrado para trás. Uma voz calma acompanhada de gestos tranquilos. Davenga estava gostando de ouvir as palavras de Maria Agonia. Marcaram um encontro para o domingo seguinte na praça. Quando ele chegou, o pastor falava, e Maria Agonia estava com a Bíblia aberta na mão. Davenga observava os modos contritos da mulher. Ela, ao levantar os olhos e perceber o olhar dele, piedosamente abaixou a cabeça e voltou ao livro. Ele saiu e se encaminhou para o botequim em frente. Ao acabar a pregação, ela saiu do meio dos outros, passou por ele e fez um sinal. Ele foi atrás. Assim que todos se dispersaram, ela falou do desejo de estar com ele. Queria ir para algum lugar, sozinhos. Foram e se amaram muito. Ele chorou como sempre. Esses encontros aconteceram muitas e muitas vezes. Primeiro a praça, a pregação, a crença. Depois tudo no silêncio, na moita, tudo escondidinho. Um dia ele se encheu. Propôs que ela subisse o morro e ficasse com ele. Corresse com ele todos os perigos. Deixasse a Bíblia, deixasse tudo. Maria Agonia reagiu. Vê só se ela, crente, filha de pastor, instruída, iria deixar tudo e morar com um marginal, com um bandido? Davenga se revoltou. Ah! Então era isso? Só prazer? Só o gostoso? Só aquilo na cama? Saiu dali era novamente a Bíblia? Mandou que a mulher se vestisse. Ela ainda se negou. Estava querendo mais. Estava precisando do prazer que ele, só ele, era capaz de dar. Saíram juntos do motel; a certa altura, como sempre, ele desceu do carro e caminhou sozinho. Não havia de ser nada. Tinha alguém que faria o serviço para ele. Dias depois, a seguinte manchete aparecia nos jornais: "Filha de pastor apareceu nua e toda perfurada de balas. Tinha ao lado do corpo uma Bíblia. A moça cultivava o hábito de visitar os presídios para levar a palavra de Deus".

Por mais que Ana Davenga se esforçasse, não conseguia atinar com o porquê da ausência de seu homem. Todos estavam ali. Isso significava que, onde quer que Davenga estivesse naquele momento, ele estava só. E não era comum, em tempos de guerra como aqueles, eles andarem sozinhos. Davenga devia estar em perigo, em maus lençóis. As histórias e os feitos de Davenga vieram quentes e vivos em sua mente. Dentre eles, um em que havia uma semelhante sua, morta. Nem no dia em que Davenga, de cabeça baixa, lhe contara o crime, ela tivera medo do homem. Buscou as feições de suas semelhantes, ali presentes. Encontrou calma. Seria porque os homens delas estavam ali? Não, não era. A ausência de um deles significava sempre perigo para todos. Por que estavam tão calmas, tão alheias assim?

Novas batidas ecoaram na porta e já eram prenúncios de samba. Era samba mesmo. Ana Davenga quis romper o círculo em volta dela e se encaminhar para abrir a porta. Os homens fecharam a roda mais ainda e as mulheres em volta deles começaram a balançar o corpo. Cadê Davenga, cadê Davenga, meu Deus? O que seria aquilo? Era uma festa! Distinguiu vozes pequenas e havia as crianças. Ana Davenga

alisou a barriga. Lá dentro estava a sua, bem pequena, bem sonho ainda. As crianças, havia umas que de longe ou às vezes de perto, acompanhavam as façanhas dos pais. Algumas seguiriam pelas mesmas trilhas. Outras, quem sabe, traçariam caminhos diferentes. E o filho dela com Davenga, que caminho faria? Ah, isto pertence ao futuro. Só que o futuro ali chegava rápido. O tempo de crescer era breve. O de matar ou morrer chegava breve, também. E o filho dela e de Davenga? Cadê Davenga, meu Deus?
 Davenga entra furando o círculo. Alegre, zambeiro, cabeça-sonho, nuvens. Abraça a mulher. No abraço, além do corpo de Davenga, ela sentiu a pressão da arma.

— Davenga, Davenga, que festa é esta? Por que isto tudo?
— Mulher, tá pancada? Parece que bebe? Esqueceu da vida? Esqueceu de você?

Não, Ana Davenga não havia esquecido, mas também não sabia por que lembrar. Era a primeira vez na vida, uma festa de aniversário.
 O barraco de Ana Davenga, como o seu coração, guardava gente e felicidades. Alguns se encostaram pelo pouco espaço do terreiro. Outros se amontoaram nos barracos vizinhos, por onde rolavam a cachaça, a cerveja e o mais e mais. Quando a madrugada afirmou, Davenga mandou que todos se retirassem, recomendando aos companheiros que ficassem alertas.
 Ana estava feliz. Só Davenga mesmo para fazer aquilo. E ela, tão viciada na dor, fizera dos momentos que antecederam a alegria maior um profundo sofrimento. Davenga estava ali na cama vestido com aquela pele negra, brilhante, lisa que Deus lhe dera. Ela também, nua. Era tão bom ficar se tocando primeiro. Depois haveria o choro de Davenga, tão doloroso, tão profundo, que ela ficava adiando o gozo-

-pranto. Já estavam para explodir um no outro, quando a porta abriu violentamente e dois policiais entraram de armas em punho. Mandaram que Davenga se vestisse rápido e não bancasse o engraçadinho, porque o barraco estava cercado. Outro policial do lado de fora empurrou a janela de madeira. Uma metralhadora apontou para dentro de casa, bem na direção da cama, na mira de Ana Davenga. Ela se encolheu levando a mão na barriga, protegendo o filho, pequena semente, quase sonho ainda.

Davenga vestiu a calça lentamente. Ele sabia estar vencido. E agora o que valia a vida? O que valia a morte? Ir para a prisão, nunca! A arma estava ali, debaixo da camisa que ele ia pegar agora. Poderia pegar as duas juntas. Sabia que este gesto significaria a morte. Se Ana sobrevivesse à guerra, quem sabe teria outro destino?

De cabeça baixa, sem encarar os dois policiais a sua frente, Davenga pegou a camisa e desse gesto se ouviram muitos tiros.

Os noticiários depois lamentavam a morte de um dos policiais de serviço. Na favela, os companheiros de Davenga choravam a morte do chefe e de Ana, que morrera ali na cama, metralhada, protegendo com as mãos um sonho de vida que ela trazia na barriga.

Em uma garrafa de cerveja cheia de água, um botão de rosa, que Ana Davenga havia recebido de seu homem, na festa primeira de seu aniversário, vinte e sete, se abria.

Duzu-Querença

Duzu lambeu os dedos gordurosos de comida, aproveitando os últimos bagos de arroz que tinham ficado presos debaixo de suas unhas sujas. Um homem passou e olhou para a mendiga, com uma expressão de asco. Ela lhe devolveu um olhar de zombaria. O homem apressou o passo, temendo que ela se levantasse e viesse lhe atrapalhar o caminho. Duzu olhou no fundo da lata, encontrando apenas o espaço vazio. Insistiu ainda. Diversas vezes levou a mão lá dentro e retornou com um imaginário alimento que jogava prazerosamente à boca. Quando se fartou deste sonho, arrotou satisfeita, abandonando a lata na escadaria da igreja e caminhou até mais adiante, se afastando dos outros mendigos. Agachou-se quieta. Ficou por algum tempo olhando o mundo. Sentiu um início de cãibra nas pernas, ergueu-se pela metade, acocorando-se de novo. Estava mesmo ficando velha, pensou. Levantou devagar. Olhou para trás, viu os companheiros seus estirados, depois do almoço, contemplando o meio-dia. Ensaiou e mudou os passos, cambaleante e insegura feito criança que começa a andar. Sorriu da lerdeza e da cãibra que insistiam. É, a perna estava querendo falhar. Ela é que não ia ficar ali assentada. Se as pernas não andam, é preciso ter asas para voar.

Quando Duzu chegou pela primeira vez à cidade, ela era menina, bem pequena. Viera numa viagem de trem, dias e dias. Atravessara terras e rios. As pontes pareciam frágeis. Ela ficava o tempo todo esperando o trem cair. A mãe já estava cansada. Queria descer no meio do caminho. O pai queria caminhar para o amanhã.

O pai de Duzu tinha nos atos a marca na esperança. De pescador que era, sonhava um ofício novo. Era preciso aprender outros meios de trabalhar. Era preciso também dar outra vida para a filha. Na cidade havia senhoras que empregavam meninas. Ela podia trabalhar e estudar. Duzu era caprichosa e tinha cabeça para leitura. Um dia sua filha seria pessoa de muito saber. E a menina tinha sorte. Já vinha no rumo certo. Uma senhora que havia arrumado trabalho para a filha de Zé Nogueira ia encontrar com eles na capital.

Duzu ficou na casa da tal senhora durante muitos anos. Era uma casa grande de muitos quartos. Nos quartos moravam mulheres que Duzu achava bonitas. Gostava de ficar olhando para os rostos delas. Elas passavam muitas coisas no rosto e na boca. Ficavam mais bonitas ainda. Duzu trabalhava muito. Ajudava na lavagem e na passagem da roupa. Era ela também quem fazia a limpeza dos quartos. A senhora tinha explicado a Duzu que batesse nas portas sempre. Batesse forte e esperasse o pode entrar. Um dia Duzu esqueceu e foi entrando. A moça do quarto estava dormindo. Em cima dela dormia um homem. Duzu ficou confusa: por que aquele homem dormia em cima da moça? Saiu devagar, mas antes ficou olhando um pouco os dois. Estava engraçado. Estava bonito. Estava bom de olhar. Então resolveu que nem sempre ia bater nas portas dos quartos. Nem sempre ia esperar o pode entrar. Algumas vezes ia entrar-entrando. E foi no entrar-entrando que Duzu viu várias vezes homens dormindo em cima das mulheres. Homens acordados em cima das mulheres. Homens mexendo em cima das mulheres. Homens trocando de lugar com as mulheres. Gostava de ver aquilo tudo. Em alguns quartos a menina era repreendida. Em outros, era bem-aceita. Houve até aquele quarto em que o homem lhe fez um carinho no rosto e foi abaixando a mão lentamente... A moça mandou que ele parasse. Não estava vendo que ela era uma menina? O homem parou. Levantou embrulhado no lençol. Duzu viu então que a moça estava nua. Ele pegou a carteira de dinheiro e deu uma nota para Duzu. Ela olhou timidamente para o homem. Voltou ali no outro dia no entrar-entrando. Não era o mesmo. Saiu desapontada e triste. Passados alguns dias, voltou a entrar de supetão. Era ele. Era o homem que lhe havia feito um carinho e lhe dado um dinheiro. Era ele que estava lá. Estavam os dois nuzinhos. Ele em cima, parecendo dentro da mulher. Duzu ficou olhando tudo. Teve um momento em que o homem chamou por ela. Vagarosamente ela foi se aproximando. Ele, em cima da mulher, com uma das mãos fazia carinho no rosto e nos seios da menina. Duzu tinha gosto e medo. Era estranho, mas era bom. Ganhou muito dinheiro depois.

 Duzu voltava sempre. Vinha num entrar-entrando cheio de medo, desejo e desespero. Um dia o homem estava deitado nu e sozinho. Pegou a menina e jogou na cama. Duzu não sabia ainda o ritmo do corpo, mas, rápida e instintivamente, aprendeu a dançar. Ganhava mais e mais dinheiro. Voltava e a moça do quarto nunca estava.

Um dia quem abriu a porta de supetão foi D. Esmeraldina. Estava brava. Se a menina quisesse deitar com homem, podia. Só uma coisa ela não ia permitir: mulher deitando com homem, debaixo do teto dela, usando quarto e cama, e ganhando o dinheiro sozinha! Se a menina era esperta, ela era mais ainda. Queria todo o dinheiro e já! Duzu naquele momento entendeu o porquê do homem lhe dar dinheiro. Entendeu o porquê de tantas mulheres e de tantos quartos ali. Entendeu o porquê de nunca mais ter conseguido ver a sua mãe e o seu pai, e de nunca D. Esmeraldina ter cumprido a promessa de deixá-la estudar. E entendeu também qual seria a sua vida. É, ia ficar. Ia entrar-entrando sem saber quando e por que parar.

Dona Esmeraldina arrumou um quarto para Duzu, que passou a receber homens também. Criou fregueses e fama. Duzu morou ali muitos anos e de lá partiu para outras zonas. Acostumou-se aos gritos das mulheres apanhando dos homens, ao sangue das mulheres assassinadas. Acostumou-se às pancadas dos cafetões, aos mandos e desmandos das cafetinas. Habituou-se à morte como uma forma de vida.

Os filhos de Duzu foram muitos. Nove. Estavam espalhados pelos morros, pelas zonas e pela cidade. Todos os filhos tiveram filhos. Nunca menos de dois. Dentre os seus netos três marcavam assento maior em seu coração. Três netos lhe abrandavam os dias. Angélico, que chorava porque não gostava de ser homem. Queria ser guarda penitenciário para poder dar fuga ao pai. Tático, que não queria ser nada. E a menina Querença que retomava sonhos e desejos de tantos outros que já tinham ido...

Duzu entrou em desespero no dia em que soube da morte de Tático. Ele havia sido apanhado de surpresa por um grupo inimigo. Era tão novo! Treze anos. Tinha ainda voz e jeito de menino. Quando ele vinha estar com ela, passava às vezes a noite ali. Disfarçava. Pedia a benção. Ela sabia, porém, que ele possuía uma arma e que a cor vermelho-sangue já se derramava em sua vida. Com a morte de Tático, Duzu ganhou nova dor para guardar no peito. Ficava ali, amuada, diante da porta da igreja. Olhava os santos lá dentro, os homens cá fora, sem obter consolo algum. Era preciso descobrir uma forma de ludibriar a dor. Pensando nisto, resolveu voltar ao morro. Lá onde durante anos e anos, depois que ela havia deixado a zona, fora morar com os filhos. Foi retornando ali que Duzu deu de brincar de faz de conta. E foi aprofundando nas raias do delírio que ela se agarrou para viver o tempo de seus últimos dias.

Duzu olhou em volta, viu algumas roupas no varal. Levantou com dificuldades e foi até lá. Com dificuldade maior ainda, ficou nas pontinhas dos pés abrindo os braços. As roupas balançavam ao sabor do vento. Ela, ali no meio, se sentia como um pássaro que ia por cima de tudo e de todos. Sobrevoava o morro, o mar, a cidade. As pernas doíam, mas possuía asas para voar. Duzu voava no alto do morro. Voava quando perambulava pela cidade. Voava quando estava ali sentada à porta da igreja. Duzu estava feliz. Havia se agarrado aos delírios, entorpecendo a dor. E foi se misturando às roupas do varal que ela ganhara asas e assim viajava, voava, distanciando-se o mais possível do real.

Estava chegando uma época em que o sofrer era proibido. Mesmo com toda dignidade ultrajada, mesmo que matassem os seus, mesmo com a fome cantando no estômago de todos, com o frio rachando a pele de muitos, com a doença comendo o corpo, com o desespero diante daquele viver--morrer, por maior que fosse a dor, era proibido o sofrer. Ela gostava deste tempo. Alegrava-se tanto! Era o carnaval. E já havia até imaginado a roupa para o desfile da escola. Ela viria na ala das baianas. Estava fazendo uma fantasia linda. Catava papéis brilhantes e costurava pacientemente em seu vestido esmolambado. Um companheiro mendigo havia-lhe dito que sua roupa, assim tão enfeitada de papéis recortados em forma de estrelas, mais parecia roupa de fada do que de baiana. Duzu reagiu. Quem disse que estrela era só para as fadas! Estrela era para ela, Duzu. Estrela era para Tático, para Angélico. Estrela era para a menina Querença, moradia nova, bendito ayê, onde ancestrais e vitais sonhos haveriam de florescer e acontecer.

Duzu continuava enfeitando a vida e o vestido. O dia do desfile chegou. Era preciso inaugurar a folia. Despertou cedo. Foi e voltou. Levantou voo e aterrizou. E foi escorregando brandamente em seus famintos sonhos que Duzu visualizou seguros plantios e fartas colheitas. Estrelas próximas e distantes existiam e insistiam. Rostos dos presentes se aproximavam. Faces dos ausentes retornavam. Vó Alafaia, Vô Kiliã, Tia Bambene, seu pai, sua mãe, seus filhos e netos. Menina Querença adiantava-se mais e mais. Sua imagem crescia, crescia. Duzu deslizava em visões e sonhos por um misterioso e eterno caminho...

Menina Querença, quando soube da passagem da Avó Duzu, tinha acabado de chegar da escola. Subitamente se sentiu assistida e visitada por parentes que ela nem conhecera e de quem só ouvira contar as histórias. Buscou na memória os nomes de alguns. Alafaia, Kiliã, Bambene... Escutou os assobios do primo Tático lá fora chamando por ela. Sorriu pesarosa, havia uns três meses que ele também tinha ido... Querença desceu o morro recordando a história de sua família, de seu povo. Avó Duzu havia ensinado para ela a brincadeira das asas, do voo. E agora estava ali deitada nas escadarias da igreja.

E foi no delírio da avó, na forma alucinada de seus últimos dias, que ela, Querença, haveria de sempre umedecer seus sonhos para que eles florescessem e se cumprissem vivos e reais. Era preciso reinventar a vida, encontrar novos caminhos. Não sabia ainda como. Estava estudando, ensinava as crianças menores da favela, participava do grupo de jovens da Associação de Moradores e do Grêmio da Escola. Intuía que tudo era muito pouco. A luta devia ser maior ainda. Menina Querença tinha treze anos, como seu primo Tático que havia ido por aqueles dias.

Querença olhou novamente o corpo magro e a fantasia da avó. Desviou o olhar e entre lágrimas contemplou a rua. O sol passado de meio-dia estava colado no alto do céu. Raios de luz agrediam o asfalto. Mistérios coloridos, cacos de vidro — lixo talvez — brilhavam no chão.

Maria

Maria estava parada há mais de meia hora no ponto do ônibus. Estava cansada de esperar. Se a distância fosse menor, teria ido a pé. Era preciso mesmo ir se acostumando com a caminhada. O preço da passagem estava aumentando tanto! Além do cansaço, a sacola estava pesada. No dia anterior, no domingo, havia tido festa na casa da patroa. Ela levava para casa os restos. O osso do pernil e as frutas que tinham enfeitado a mesa. Ganhara as frutas e uma gorjeta. O osso, a patroa ia jogar fora. Estava feliz, apesar do cansaço. A gorjeta chegara numa hora boa. Os dois filhos menores estavam muito gripados. Precisava comprar xarope e aquele remedinho de desentupir nariz. Daria para comprar também uma lata de Toddy. As frutas estavam ótimas e havia melão. As crianças nunca tinham comido melão. Será que os meninos iriam gostar de melão?

A palma de uma de suas mãos doía. Tinha sofrido um corte, bem no meio, enquanto cortava o pernil para a patroa. Que coisa! Faca a laser corta até a vida!

Quando o ônibus apontou lá na esquina, Maria abaixou o corpo, pegando a sacola que estava no chão entre as suas pernas. O ônibus não estava cheio, havia lugares. Ela poderia descansar um pouco, cochilar até a hora da descida. Ao entrar, um homem levantou lá de trás, do último banco, fazendo um sinal para o trocador. Passou em silêncio, pagando a passagem dele e de Maria. Ela reconheceu o homem. Quanto tempo, que saudades! Como era difícil continuar a vida sem ele. Maria sentou-se na frente. O homem sentou-se a seu lado. Ela se lembrou do passado. Do homem deitado com ela. Da vida dos dois no barraco. Dos primeiros enjoos. Da barriga enorme que todos diziam de gêmeos, e da alegria dele. Que bom! Nasceu! Era um menino! E haveria de se tornar um homem. Maria viu, sem olhar, que era o pai de seu filho. Ele continuava o mesmo. Bonito, grande, o olhar assustado não se fixando em nada e em ninguém. Sentiu uma mágoa imensa. Por que não podia ser de uma outra forma? Por que não podiam ser felizes? E o menino, Maria? Como vai o menino? cochichou o homem. Sabe que sinto falta de vocês? Tenho um buraco no peito, tamanha a saudade! Tou sozinho! Não arrumei, não quis mais ninguém. Você já teve outros... outros filhos? A mulher baixou os olhos como que pedindo perdão. É. Ela teve mais dois filhos, mas não tinha ninguém também. Ficava, apenas de vez em quando, com um ou outro homem. Era tão difícil ficar sozinha! E dessas deitadas repentinas, loucas, surgiram os dois filhos menores. E veja só, homens também! Homens também? Eles haveriam de ter outra vida. Com eles tudo haveria de ser diferente. Maria, não te esqueci! Tá tudo aqui no buraco do peito...

MARIA

O homem falava, mas continuava estático, preso, fixo no banco. Cochichava com Maria as palavras, sem entretanto virar para o lado dela. Ela sabia o que o homem dizia. Ele estava dizendo de dor, de prazer, de alegria, de filho, de vida, de morte, de despedida. Do buraco-saudade no peito dele... Desta vez ele cochichou um pouquinho mais alto. Ela, ainda sem ouvir direito, adivinhou a fala dele: um abraço, um beijo, um carinho no filho. E, logo após, levantou rápido sacando a arma. Outro lá atrás gritou que era um assalto. Maria estava com muito medo. Não dos assaltantes. Não da morte. Sim da vida. Tinha três filhos. O mais velho, com onze anos, era filho daquele homem que estava ali na frente com uma arma na mão. O de lá de trás vinha recolhendo tudo. O motorista seguia a viagem. Havia o silêncio de todos no ônibus. Apenas a voz do outro se ouvia pedindo aos passageiros que entregassem tudo rapidamente. O medo da vida em Maria ia aumentando. Meu Deus, como seria a vida dos seus filhos? Era a primeira vez que ela via um assalto no ônibus. Imaginava o terror das pessoas. O comparsa de seu ex-homem passou por ela e não pediu nada. Se fossem outros os assaltantes? Ela teria para dar uma sacola de frutas, um osso de pernil e uma gorjeta de mil cruzeiros. Não tinha relógio algum no braço. Nas mãos nenhum anel ou aliança. Aliás, nas mãos tinha sim! Tinha um profundo corte feito com faca a laser que parecia cortar até a vida.

Os assaltantes desceram rápido. Maria olhou saudosa e desesperada para o primeiro. Foi quando uma voz acordou a coragem dos demais. Alguém gritou que aquela puta safada lá da frente conhecia os assaltantes. Maria se assustou. Ela não conhecia assaltante algum. Conhecia o pai de seu primeiro filho. Conhecia o homem que tinha sido dela e que ela ainda amava tanto. Ouviu uma voz: *Negra safada, vai ver que estava de coleio com os dois.* Outra voz vinda lá do fundo do ônibus acrescentou: *Calma, gente! Se ela estivesse junto com eles, teria descido também*. Alguém argumentou que ela não tinha descido só para disfarçar. Estava mesmo com os ladrões. Foi a única a não ser assaltada. *Mentira, eu não fui e não sei por quê*. Maria olhou na direção de onde vinha a voz e viu um rapazinho negro e magro, com feições de menino e que relembravam vagamente o seu filho. A primeira voz, a que acordou a coragem de todos, tornou-se um grito: *Aquela puta, aquela negra safada estava com os ladrões!* O dono da voz levantou e se encaminhou em direção à Maria. A mulher teve medo e raiva. Que merda! Não conhecia assaltante algum. Não devia satisfação a ninguém. *Olha só, a negra ainda é atrevida*, disse o homem, lascando um tapa no rosto da mulher. Alguém gritou: *Lincha! Lincha! Lincha!*... Uns passageiros desceram e outros voaram em direção à Maria. O motorista tinha parado o ônibus para defender a passageira:

— Calma pessoal! Que loucura é esta? Eu conheço esta mulher de vista. Todos os dias, mais ou menos neste horário, ela toma o ônibus comigo. Está vindo do trabalho, da luta para sustentar os filhos...

Lincha! Lincha! Lincha! Maria punha sangue pela boca, pelo nariz e pelos ouvidos. A sacola havia arrebentado e as frutas rolavam pelo chão. Será que os meninos iriam gostar de melão?

Tudo foi tão rápido, tão breve, Maria tinha saudades de seu ex-homem. Por que estavam fazendo isto com ela? O homem havia segredado um abraço, um beijo, um carinho no filho. Ela precisava chegar em casa para transmitir o recado. Estavam todos armados com facas a laser que cortam até a vida. Quando o ônibus esvaziou, quando chegou a polícia, o corpo da mulher estava todo dilacerado, todo pisoteado.

Maria queria tanto dizer ao filho que o pai havia mandado um abraço, um beijo, um carinho.

Quantos filhos Natalina teve?

Natalina alisou carinhosamente a barriga, o filho pulou lá de dentro respondendo ao carinho. Ela sorriu feliz. Era a sua quarta gravidez, e o seu primeiro filho. Só seu. De homem algum, de pessoa alguma. Aquele filho ela queria, os outros não. Os outros eram como se tivessem morrido pelo meio do caminho. Foram dados logo após e antes até do nascimento. As outras barrigas ela odiara. Não aguentava se ver estufando, estufando, pesada, inchada e aquele troço, aquela coisa mexendo dentro dela. Ficava com o coração cheio de ódio. Enjoava e vomitava muito durante quase toda a gravidez. Na terceira, vomitou até na hora do parto. Foi a pior gravidez para Natalina. Pior até do que a primeira, embora fosse ainda quase uma menina quando pariu o primeiro filho. Brincava gostoso quase todas as noites com o seu namoradinho e, quando deu fé, o jogo prazeroso brincou de pique-esconde lá dentro de sua barriga. A mãe desesperada perguntou se ela queria o filho e se Bilico queria também. Ela não sabia responder por ele. Sabia, porém, que ela, Natalina, não queria. Que a mãe a perdoasse, não batesse nela, não contasse nada para o pai. Que fizesse segredo até para o Bilico. Ela estava com ódio e vergonha. Bilico nunca mais brincaria com ela. Ele não ia querer uma menina que estivesse esperando um filho. Que a mãe ficasse calada. Ela ia dar um jeito naquilo.

Natalina sabia de certos chás. Várias vezes vira a mãe beber. Sabia também que às vezes os chás resolviam, outras vezes, não. Escutava a mãe comentar com as vizinhas:

— Ei, fulana, o troço desceu! — E soltava uma gargalhada aliviada de quem conhecia o valor da vida e o valor da morte.

Natalina preparou os chás e tomou durante vários dias. Ela ficava em casa cuidando dos irmãos menores. Ia fazer catorze anos. Uma coisa estava lá dentro da barriga dela e ia crescer, crescer até um dia arrebentar no mundo. Não, ela não queria, precisava se ver livre daquilo.

A menina estava começando a ficar desesperada. Tomava os chás e não resolvia. Um dia a mãe perguntou-lhe como estava indo tudo. Ela não respondeu. A mãe entendeu a resposta muda da filha. Agora ela mesma é quem ia preparar os chás. Como haveria de criar mais uma criança? O que fazer quando o filho da menina nascesse? Na casa já havia tanta gente! Ela, o marido e sete crianças. E agora teria o filho da filha? Ia tentar mais um pouco de beberagens, se não desse certo, levaria a menina a Sá Praxedes. A velha parteira cobraria um pouco, mas ficariam livres de tudo. Natalina segurou o temor em silêncio. Sá Praxedes, não! Ela morria de medo da velha. Diziam que ela comia meninos. Mulheres barrigudas entravam no barraco de Sá Praxedes, algumas, quando saíam, traziam nos braços as suas crianças, outras vinham de barriga, de braços e mãos vazias. Onde Sá Praxedes metia as crianças que ficavam lá dentro? Sá Praxedes, não! A mãe de Natalina e as outras mães sabiam que era só dizer para as crianças que iam chamar a velha e os filhos ficavam quietos, obedeciam. Sá Praxedes comia criança! Natalina sabia disso. Ela também muitas vezes conseguia a obediência dos irmãos menores trazendo a velha parteira até o medo deles.

A mãe devia estar mesmo com muita mágoa dela. Estava querendo levá-la a Sá Praxedes. A velha ia comer aquilo que estava na barriga dela. Ia conseguir fazer o que os chás não tinham conseguido.

Natalina esperou. No outro dia, quando a mãe saiu cedo para a cozinha da madame, ela saiu logo atrás para lugar algum. Não sabia para onde ia. Ao descer o morro, em um dos becos passou em frente ao barraco de Bilico. Era ali que os dois brincavam prazerosos, sempre. Passou rápido, pisando levemente com medo de ser vista. Tinha de fugir de Sá Praxedes. Ganhou a avenida, ganhou outras ruas. Escondeu-se o mais longe possível de casa. Ganhou outros amigos também. Um dia, junto com outra menina-mulher que também esperava um filho, tomou um trem para mais longe ainda. E respirou aliviada. Sá Praxedes não a pegaria nunca.

Na terceira barriga ela sabia de tudo que ia acontecer. Na primeira e na segunda fora apanhada de surpresa. Bilico, amigo de infância, crescera com ela. Os dois haviam descoberto juntos o corpo. Foi com ele que ela descobriu que, apesar de doer um pouco, o seu buraco abria e ali dentro cabia o prazer, cabia a alegria. Quando a criança nasceu, era a cara de Bilico. Igual, igualzinha. Ela conseguira fugir de Sá Praxedes. Não queria o menino, mas também não queria que ele fosse comido pela velha. Uma enfermeira quis o menino. A menina-mãe saiu leve e vazia do hospital! E era como se ela tivesse ganhado uma boneca que não desejasse e cedesse o brinquedo para alguém que quisesse.

A segunda gravidez foi também sem querer, mas ela já estava mais esperta. Brincava gostoso com os homens, mas não descuidava. Quando cismava com qualquer coisa, tomava os seus chazinhos, às vezes, o mês inteiro. As regras desciam então copiosas como rios de sangue. Mesmo assim, um dia uma semente teimosa vingou. Natalina passou novamente pelo momento de vergonha. Não ia contar para Tonho, mas o rapaz desconfiou. Havia noite que se assentavam no banco da praça e nem conversavam, ela só cochilava. Uma vez vomitou ao sentir cheiro de pipoca. Depois, um dia, no quarto da obra onde ele morava, quando Natalina se pôs nua, o rapaz perguntou docemente sobre aquela barriguinha que estava crescendo. Ela, envergonhada, contou-lhe que estava esperando um filho. Que ele a perdoasse. Que ela havia tomado uns chás. Que ela conhecia uma tal de Sá Praxedes... Quando acabou a falação e olhou para Tonho, o moço chorava e ria. Abraçou Natalina e repetia feliz que ia ter um filho. Que formariam uma família. Natalina ganhou preocupação nova. Ela não queria ficar com ninguém. Não queria família alguma. Não queria filho. Quando Toinzinho nasceu, ela e Tonho já haviam acertado tudo. Ela gostava dele, mas não queria ficar morando com ele. Tonho chorou muito e voltou para a terra dele, sem nunca entender a recusa de Natalina diante do que ele julgava ser o modo de uma mulher ser feliz. Uma casa, um homem, um filho... Voltou levando consigo o filho que Natalina não quis.

A terceira gravidez, ela também não queria. Quem quis foi o casal para quem Natalina trabalhava. Os dois viviam bem. Viajavam de tempos em tempos e quando regressavam davam sempre festas. Ela gostava de trabalhar ali. Era tudo muito tranquilo, ficava sozinha tomando conta do apartamento. Cozinhava, passava, lavava, mas só pra si. A casa parecia ser só dela. Um dia, enquanto divagava em seus sonhos de pretensa dona, o telefone tocou. Era a patroa que ligava do estrangeiro, em prantos, e lhe pedia ajuda. Ela queria e precisava ter um filho. Só Natalina poderia ajudá-la. Ela não entendeu o telefonema nem as palavras da patroa. Ficou aguardando o regresso dos dois. Daí a uns dias, a patroa voltou. Natalina ouviu e entendeu tudo. A mulher queria um filho e não conseguia. Estava desesperada e envergonhada por isso. Ela e o marido já haviam conversado. Era só a empregada fazer um filho para o patrão. Elas se pareciam um pouco. Natalina só tinha um tom de pele mais negro. Um filho do marido com Natalina poderia passar como sendo seu. Natalina lembrou-se de Sá Praxedes comendo crianças. Vai ver que a velha, um dia, comeu o filho desta mulher e ela nem sabia. Lembrou da primeira criança que tivera e que nem tinha visto direito, pois fora direto para as mãos-coração da enfermeira que seria a mãe. Lembrou da segunda que ela deixara com o Tonho, pai feliz. Não entendeu por que aquela mulher se desesperava e se envergonhava tanto por não ter um filho. Tudo certo. Deitaria com o patrão, sem paga alguma, tantas vezes fosse preciso. Deitaria com ele até a outra se engravidar, até a outra encontrar no fundo de um útero, que não o seu, algum bebê perdido no limiar de um tempo que só a velha Praxedes conhecia. A patroa chorava, mas parecia um pouco mais aliviada. Natalina levantou rápido e foi ao banheiro, na boca uma saliva grossa. Eram os primeiros enjoos que já começavam.

    A patroa de Natalina passou a viajar sozinha. O patrão ficava no quarto dele, de noite levantava e ia buscar Natalina no quarto de empregada. Não falavam nada, naqueles encontros de prazer comedido. Cada vez que a patroa voltava, trazia em si o desejo de gravidez no olhar. Os três buscaram a gravidez durante meses e meses. Um dia as regras de Natalina não desceram. A patroa aflita pediu a urina, fizeram o exame: positivo. Os três estavam grávidos. O pai sorriu, voltou a viajar sempre. A patroa ficava o tempo todo com ela. Contratou outra empregada. Levava Natalina ao médico, cuidava de sua alimentação e de distraí-la também. Natalina enjoava, enjoava. Vomitava sempre. A barriga crescia devagar, lenta e preguiçosa. A outra tirava as medidas da barriga de Natalina e ficava feliz. Telefonava ao marido informando tudo. Um dia, quando já estava no sétimo mês, viu o homem, pai da criança, que estava ali momentaneamente emprestada dentro dela. A patroa pegou a mão do marido e pousou-a lentamente sobre a barriga de Natalina. A criança mexeu, os dois se abraçaram felizes, enquanto Natalina não conseguiu segurar a náusea e ânsia de vômito. A patroa veio aflita. O esforço para vomitar era tão grande que trazia lágrimas aos olhos de Natalina. Ela aproveitou para, silenciosamente, chorar um pouco.

Tudo passava lento, os nove meses de eternidade, os enjoos. O estorvo que ela carregava na barriga faria feliz o homem e a mulher que teriam um filho que sairia dela. Tinha vergonha de si mesma e deles.

Um dia a criança nasceu fraca e bela. Sobreviveu. Os pais choravam aflitos. Natalina quase morreu. Tinha os seios vazios, nenhum vestígio de leite para amamentar o filho da outra. Para o seu próprio alívio foi esquecida pelos dois.

A quarta gravidez de Natalina não lhe deixava em dívida com pessoa alguma. Não devia o prazer da descoberta ao iniciar-se mulher, como tinha sido nos encontros com Bilico.

Não devia nada, como na segunda barriga, quando ficou devedora diante da inteireza de Tonho, que se depositava pleno sobre ela, esperando que ela fosse viver com ele dias contínuos de um casal que acredita ser feliz.

Não era devedora de nada, como na terceira, ao se condoer de uma mulher que almejava sentir o útero se abrir em movimento de flor-criança. Doou sua fertilidade para que a outra pudesse inventar uma criação, e se tornou depositária de um filho alheio. Não, desta vez ela não devia nada a ninguém. Se aquela barriga tinha um preço, ela também tinha tido o seu, e tudo tinha sido feito com uma moeda bem valiosa. Agora teria um filho que seria só seu, sem ameaça de pai, de mãe, de Sá Praxedes, de companheiro algum ou de patrões. E haveria de ensinar para ele que a vida é viver e é morrer. É gerar e é matar. O filho de Natalina continuava bulindo na barriga da mãe como se estivesse acompanhando também a busca que ela fazia na memória. Queria relembrar o caminho percorrido pelo carro. Um caminho que, por mais que se esforçasse, não conseguiria retomar e reconhecer nunca. Um trajeto que não pôde ver, pois tinha os olhos vendados pelos homens que chegaram de repente ao seu barraco e a dominaram com força, perguntando-lhe pelo seu irmão. Ela não sabia o que responder. Não tinha irmão algum. Saíra de casa anos atrás, deixara a mãe, o pai e as seis irmãs. Os homens insistiam. Berravam dizendo que era pior e que não adiantava nada ela não dizer a verdade. De vez em quando, o que estava sentado no banco de trás com ela, fazia-lhe um carinho nas pernas. Ela arrepiava de pavor. As mãos estavam amarradas e doíam. Em um dado momento, o carro parou e o que estava ao seu lado desceu. Despediu-se dela passando novamente a mão em suas pernas. Bateu nas costas do que estava no volante e desejou-lhe bom proveito. O outro continuou calado. O carro seguiu em frente. Ela calculou que deveriam ser umas três horas da madrugada, eles haviam chegado a seu barraco por volta da meia-noite. Estava fazendo muito frio. Natalina percebeu então que a marcha do carro diminuía e que estavam saindo da estrada e entrando no mato. Escutava o estalar de ramos secos. O homem desceu do carro puxou-a violentamente e jogou-a no chão; depois desamarrou suas mãos e ordenou que lhe fizesse carinho. Natalina, entre o ódio e o pavor, obedecia a tudo. Na hora, quase na hora do gozo, o homem arrancou a venda dos olhos dela. Ela tremia, seu corpo, sua cabeça estavam como se fossem arrebentar de dor. A noite escura não permitia que divisasse o rosto do homem. Ele gozou feito cavalo enfurecido em cima dela. Depois tombou sonolento ao lado. Foi quando, ao consertar o corpo para se afastar dele, ela esbarrou em algo no chão. Pressentiu que era a arma dele. O movimento foi rápido. O tiro foi certeiro e tão próximo que Natalina pensou estar se matando também. Fugiu. Guardou tudo só pra ela. A quem dizer? O que fazer? Só que guardou mais do que o ódio, a vergonha, o pavor, a dor de ter sido violentada. Guardou mais do que a coragem da vingança e da defesa. Guardou mais do que a satisfação de ter conseguido retomar a própria vida. Guardou a semente invasora daquele homem. Poucos meses depois, Natalina se descobria grávida.

    Estava feliz. O filho estava para arrebentar no mundo a qualquer hora. Estava ansiosa para olhar aquele filho e não ver a marca de ninguém, talvez nem dela. Estava feliz e só consigo mesma. Lembrava de Sá Praxedes e sorria. Aquela criança Sá Praxedes não ia conseguir comer nunca. Um dia, quando era quase menina ainda, saíra da cidade onde nascera fugindo da velha parteira. Agora, bem recentemente, saíra de outra cidade fugindo do comparsa de um homem que ela havia matado. Sabia que o perigo existia, mas estava feliz. Brevemente iria parir um filho. Um filho que fora concebido nos frágeis limites da vida e da morte.

Beijo na face

Salinda tombou suavemente o rosto e com as mãos em concha colheu, pela milésima vez, a sensação impregnada do beijo em sua face. Depois, com um gesto lento e cuidadoso, abriu as palmas das mãos, contemplando-as. Sim, lá estava o vestígio do carinho. Algo tão tênue, como os restos de uma asa amarela, de uma borboleta-menina, que foi atropelada nos primeiros instantes de seu inaugural voo. Rememorou ainda o corpo que um dia antes estivera em ofertório ao seu lado. Tudo parecia um sonho. Os toques aconteceram carregados de sutileza. Carinhos inicialmente experimentados apenas com as pontas dos dedos-desejos. Ela estava aprendendo um novo amor. Um amor que vivia e se fortalecia na espera do amanhã, que se fazia inesperadamente nas frinchas de um momento qualquer, que se revelava por um simples piscar de olhos, por um sorriso ensaiado na metade das bordas de um lábio, por um repetir constante do *eu te amo*, declaração feita, muitas vezes, em voz silenciosa, audível somente para dentro, fazendo com que o eco dessa fala se expandisse no interior mesmo do próprio declarante.

No princípio, a aprendizagem lhe custara muito. Acostumada ao amor em que tudo ou quase tudo pode ser gritado, exibido aos quatro ventos, Salinda perdeu o chão. Habituada ao amor que pede e permite testemunhas, inclusive nas horas do desamor, viver silente tamanha emoção era como deglutir a própria boca, repleta de fala, desejosa de contar as glórias amorosas. E por que não gritar, não pichar pelos muros, não expor em outdoor a grandeza do sentimento? Não, não era a ostentação que aquele amor pedia. O amor pedia o direito de amar, somente.

Salinda tentou guardar em si as lembranças e retomar a rotina. Era preciso viver a calma e o desespero como se nada estivesse acontecendo. Havia quase um ano que a felicidade lhe era servida em conta-gotas. Pequenas gotículas que guardavam a força e a parecença de reservatórios infindos, de represas de felicidade inteira. Mesmo estando entupida de alegria, com uma canção a borbulhar no peito, Salinda precisava embrutecer o corpo, os olhos, a voz. Estava sendo observada em todos os seus movimentos. A vigilância sobre os seus passos pretendia, se possível, abarcar até seus pensamentos. Ela, que até então fora sempre distraída, teve de aprender a prestar atenção a tudo e a todos. A mulher ou homem que estivesse assentado ao seu lado no ônibus poderia ser o detetive particular que o seu marido tinha contratado para segui-la.

Ao se lembrar do marido, Salinda foi até ao quarto desfazer a mala, que estava ali abandonada desde manhã. Tinha ido até Chã de Alegria, deixar as crianças de férias com a tia. Era para aquela cidade que viajava sempre com os filhos. Além da ida ao trabalho, Salinda não podia sair só. Os filhos, sem saber, tinham sido transformados em vigias da mãe. A viagem de regresso, que ela fez sozinha, foi controlada desde o momento em que deixou a casa da tia. No princípio, logo que começou a ser vigiada, chegou a pensar que estivesse sofrendo de mania de perseguição. Confirmou, porém, que estava sendo seguida, quando, numa noite, o marido, julgando que ela estivesse dormindo, falava alto na sala ao lado, e sem querer ela ouviu todo o teor da conversa. Ele pedia notícias de todos os passos dela. Depois a confirmação foi se dando pelas notícias que ele trazia. Ela tinha sido vista em tal e tal lugar. Salinda entendeu o comportamento do marido. Estava a vigiá-la, mas em vez de de agir em silêncio, vinha de própria voz alertá-la. Era como se ele buscasse retardar um encontro com a verdade.

Aos poucos, as ameaças feitas pelo marido, as mais diversificadas e cruéis, foram surgindo. Tomar as crianças, matá-la ou suicidar-se deixando uma carta culpando-a. Salinda, por isso, vinha há anos adiando um rompimento definitivo com ele. Tinha medo, sentia-se acuada, embora às vezes pensasse que ele nunca faria nada, caso ela o deixasse de vez. Aprendera, desde então, certas artimanhas, sondava terreno, procurava saídas. Aos poucos, foi se fortalecendo, criando defesas, garantindo pelo menos o seu espaço íntimo.

Tia Vandu, em Chã de Alegria, foi a única pessoa que adivinhou o sofrimento de Salinda, acolheu seu segredo e se tornou cúmplice. Era na casa da tia que os encontros aconteciam. De noite, depois das crianças, desconhecendo o que se passava com a mãe, dormirem, Salinda, no quarto destinado a ela, podia se dar, receber, se ter e ser para ela mesma e para mais alguém. Tia Vandu era guardiã do novo e secreto amor de Salinda.

Salinda desfazia a mala relembrando o seu regresso de Chã de Alegria. Voltava para casa trazendo lembranças entalhadas na memória. Jogou algumas roupas no tanque; outras, ainda úmidas do desejo que brincava nos corpos amantes; para essas, ela inventou um esconderijo. Queria a preservação do tesouro, que as peças mofassem sob a ação do tempo íntimo de sua esperança.

Havia dois tempos fundamentais na vida de Salinda: um tempo em que o marido estava envolvido e cada vez mais se diluía e o tempo em que o novo amor se solidificava. Daí a uns minutos, o homem chegaria, poderia vir calmo, amigo como nos bons tempos de namoro e ainda durante alguns anos de casada. Sim, tinha sido dele, o lugar do cálido amor de adolescente. Foi ele a primeira pessoa que a tornou apta e ávida para todos os demais amores que ela veio a ter. Podia chegar também amargo, agressivo, infeliz, querendo arranhar a face da felicidade dela. Vinha então com as perguntas de sempre: o que ela fizera durante os anos em que, ainda solteiros, terminaram o namoro e se separaram? Quem era o homem, pai da primeira filha dela? Por que, depois de tanto tempo afastada, ela aceitou voltar e se casar com ele? E assim, aos poucos, Salinda foi percebendo que nunca deveria ter assumido novamente uma relação com ele. Reconhecia, entretanto, que antes, tanto na época do namoro da juventude como na do próprio casamento, eles haviam experimentado tempos felizes.

A mala ia sendo desfeita lentamente enquanto tempos distintos amalgamavam-se em suas lembranças. A imagem dos filhos voltou à sua mente. Estavam de férias, e a melhor companhia para eles no momento era, sem dúvida, a Tia Vandu. Um misto de tia-avó, mãe e amiga. A casa sem as crianças tinha o silêncio que brincava matreiramente nos cômodos. A ausência de qualquer som transportou-a novamente para os poucos dias vividos em Chã de Alegria. No dia anterior, tinha levantado cedo guardando no rosto e no corpo as marcas do encontro vivido na noite. Feliz, cantou, soltou a voz pelas terras de Chã de Alegria. As crianças acordaram ao som da ave-mãe que não estava presa na gaiola. A mais velha, menina se maturando mulher, olhou Salinda nos olhos e sorriu. Ela recolheu o sorriso da filha e percebeu na atitude da menina uma possível cumplicidade, que esperançosamente guardou e aguardou poder realizar um dia.

Distraída em desarrumar a mala e em reviver várias lembranças, Salinda não percebeu o avançar das horas. Quando deu por si, já era noite. Estranhou o silêncio e a ausência do marido. Ele não tinha ido buscá-la na rodoviária, mas, assim que ela chegou, recebeu um telefonema dele dizendo que estava na casa da mãe. Ela, admirada, gostou. Depois de longos anos, ia poder ficar sozinha. Havia uns cinco anos, desde que ele desconfiou dela com um colega de trabalho, um inferno na relação dos dois havia se instaurado. Das perguntas maldosas feitas de maneira agressiva surgiu uma vigilância severa e constante, que se transformou em uma quase prisão domiciliar. Ela respondeu com um jogo aparentemente passivo. Fingiu ignorar. Era apenas uma estratégia de sobrevivência. Ensaiava maneiras de se defender aguardando que as crianças crescessem um pouco mais. Quando foi iniciado o cárcere doméstico, a menina que ele havia assumido como filha desde os onze meses tinha treze anos.

Mas por que o marido estava demorando tanto? Ela começava a se atormentar. O que estava por trás daquela ausência tão silenciosa? O que tinha acontecido? O que estava para acontecer? E sua vida secreta? Será que o segredo havia sido descoberto de alguma forma? Salinda tinha viajado com as crianças. Sair com os filhos não levantava suspeição alguma. E, quando qualquer desconfiança acontecia, o marido aplicava as suas táticas interrogativas. As crianças eram conclamadas a falar exaustivamente sobre o passeio. Inocentemente narravam tudo, felizes por estarem conversando com o pai.

Salinda se lembrou das ameaças do marido. Preferiu desacreditar que ele tivesse coragem suficiente para qualquer decisão. Entretanto, não se tranquilizou, alguma coisa estava acontecendo. Levantou aflita procurando os cigarros. Buscou uma caixa fósforos que deixou cair no chão. O ligeiro barulho da caixa caindo no solo retumbou como uma bomba atômica, e Chã de Alegria se desenhou em sua mente. Tinha ido ao circo com as crianças em um dos dias que ficara na casa da tia. Estava mais entusiasmada do que elas. Bem cedo, quando a manhã ainda estava no nascedouro, ela gozou antecipadamente a doce aflição que sentiria à tarde ao deparar-se com o equilibrista. No circo, o momento que Salinda mais gostava, era o de vigiar a acrobacia do bailarino na corda bamba. Naquele dia, quem se apresentava era uma mulher. Salinda vigiou os passos cambaleantes da moça tentando se aprumar sobre um tão fino e quase imperceptível fio. Ela sabia que, qualquer passo em falso, a mulher estaria chamando a morte. Por um momento pediu para que tudo se rompesse. E, como equilibrista, ela mesma sentiu um gosto de morte na boca, mas logo se recuperou mordendo novamente o sabor da vida. Seu hálito ainda estava impregnado do amor vivido na noite anterior. Levantou-se acompanhando com gosto o jogo da dançarina na fugaz linha da vida. A mulher cambaleava, titubeava no espaço. Ia cair? Recuperou-se em seguida, com um passo-gesto redondo, próprio e justo, no fino fio estendido sob seus pés. O público aplaudiu. Vozes infantis norteavam a alegria dos demais. Salinda saiu vitoriosa do circo.

A ausência e o silêncio do marido continuavam. O telefone tocou. Levantou preparada, sabia que era ele. Do outro lado do fio, com uma voz forçosamente calma, o marido anunciou que já sabia de tudo. Perguntou se ela havia esquecido que os olhos da noite podem não ser somente estrelas. Outros olhos existem; humanos vigiam. E riu debochando do descuido dela e da tia. Disse ainda que não queria vê-la nunca mais, mas era bom ela ir se preparando para uma guerra. Não ia matá-la. Não ia cometer suicídio. Mas ia disputar ferrenhamente os filhos. Ele queria os filhos, todos. Ah, queria!... Salinda recebeu o golpe com a cabeça erguida. Sua voz não podia demonstrar nenhum temor. Batalhas viriam, piores, mais cruéis que as anteriores. Sentiu, porém, certo alívio. A verdade tinha sido apresentada, por pior que fosse a dor. O que fazer? Que cuidados e providências tomar no momento? A quem recorrer? E as crianças? Não, ela não ia desistir delas. Seus filhos eram uma opção que ela fizera para sempre. Sentiu-se desesperadamente só. Quis ligar para Tia Vandu, ponderou, entretanto, que seria melhor esperar um pouco. À noite, as crianças sempre ligavam para casa quando estavam por lá. Agora mais do que nunca precisava do abrigo-coração da velha.

Tentando se equilibrar sobre a dor e o susto, Salinda contemplou-se no espelho. Sabia que ali encontraria a sua igual, bastava o gesto contemplativo de si mesma. E, no lugar de sua face, viu a da outra. Do outro lado, como se verdade fosse, o nítido rosto da amiga surgiu para afirmar a força de um amor entre duas iguais. Mulheres, ambas se pareciam. Altas, negras e com dezenas de *dreads* a lhes enfeitar a cabeça. Ambas aves fêmeas, ousadas mergulhadoras na própria profundeza. E a cada vez que uma mergulhava na outra, o suave encontro de suas fendas-mulheres engravidava as duas de prazer. E o que parecia pouco, muito se tornava. O que finito era, se eternizava. E um leve e fugaz beijo na face, sombra rasurada de uma asa amarela de borboleta, se tornava uma certeza, uma presença incrustada nos poros da pele e da memória.

Luamanda

Luamanda consertou o vestido no corpo observando por alguns instantes o colo e o pescoço. Não, a sua pele não denunciava as quase cinco décadas que já havia vivido. As marcas no rosto, poucas, mesmo quando observadas de perto mentiam descaradamente sobre a sua idade. Nunca ninguém havia lhe dado mais de quatro décadas de vida. Um dia o lance mais alto que ela orgulhosamente aceitara fora de 35 anos. Sorriu ao ouvir a oferta. É, estava inteirinha, apesar de tantos trambolhões e acidentes de percurso em sua vida-estrada.

Lua, Luamanda, companheira, mulher. Havia dias em que era tomada de uma nostalgia intensa. Era a lua a mostrar-se redonda no céu, Luamanda na terra se desminlinguia todinha. Era como se algo derretesse no interior dela e ficasse gotejando bem na altura do coração. Levava a mão ao peito e sentia a pulsação da vida desenfreada, louca. Taquicardia. Tardio seria, ou mesmo haveria um tempo em que as necessidades do amor seriam todas saciadas? Ela iniciara cedo na busca, menina, muito menina ainda. Lembrava-se da primeira paixão. Sentimento esquivo, onde se misturavam revistas em quadrinhos, giz colorido, partilha de pão com salame e um epílogo cruel dramatizado pela surra que levara da mãe. O amor dói? Na época pensou que a dor de amor era tanta, porque tinha onze anos e um corpo-coração pequeno. E desejou crescer. Entre um pelo e outro que nasciam em suas axilas e sobre o seu púbis ensaiou e experimentou sorrisos, acenos distantes, piscar de olhos, troca de desenhos, cartas mal-escritas borradas com os dedos trêmulos de amores platônicos. O amor é terra morta?

Um dia, aos treze anos, a cama do gozo foi arrumada em pleno terreno baldio. A lua espiava no céu denunciando com a sua luz um corpo confuso de uma quase menina, de uma quase mulher. Corpo-coração espetado por um falo, também estreante. Um menino que se fazia homem ali, a inaugurar em Luamanda o primeiro jorro, fora de suas próprias masturbantes mãos. E ambos se lambuzavam festivamente um no corpo do outro. Luamanda chorando de prazer. O gozo-dor entre as suas pernas lacrimevaginava no falo intumescido do macho menino, em sua vez primeira no corpo de uma mulher. O amor é terremoto?

Depois, em outro tempo, quando já acumulada de várias vivências, ela deparou-se com um homem que viria inaugurar novos ritos em seu corpo. Uma sensação estranha, algo como um jorro-d'água ou um tapa inesperado caiu sobre o rosto de Luamanda, ao avistá-lo pela primeira vez. Ele sorriu. Ela sentiu o sorriso desgrudando da face dele e mordendo lá dentro dela. O coração de Luamanda coçou e palpitou, embora a cara da lua nem estivesse escancarada no céu. Não fazia mal, a lua viria depois. E veio, várias vezes. Lua cúmplice das barrigas-luas de Luamanda. Vinha para demarcar o tempo grávido da mulher e expulsar, em lágrimas amnióticas e sangue, os filhos: cinco. Navegação íntima de seu homem no buraco-céu aberto de seu corpo. O amor é um poço misterioso onde se acumulam águas-lágrimas?

Depois, tempos depois, Luamanda experimentava o amor em braços semelhantes aos seus. Os bicos dos seios dela roçando em outros intumescidos bicos. No primeiro instante, sentiu falta do encaixe, do membro que completava. Num ato de esquecimento, sua mão procurou algo ereto no corpo que estava diante do dela. Encontrou um falo ausente. Mas estava tão úmida, tão aquosa aquela superfície misteriosamente plana, tão aberta e igual a sua, que Luamanda afundou-se em um doce e feminil carinho. E, quando se sentiu coberta por pele, poros e pelos semelhantes aos seus, quando a sua igual dançou com leveza a dança-amor com ela, saudade alguma sentiu, vazio algum existiu, pois todas as fendas de seu corpo foram fundidas nas femininas oferendas da outra. O amor se guarda só na ponta de um falo, ou nasce também dos lábios vaginais de um coração de uma mulher para outra?

Luamanda, um dia, também amazona, montada então sobre um jovem. O moço encantado por aquela mulher que ele sabia madura, mas de imprecisa idade. O jovem amamentando-se no tempo vivido dela. Luamanda se realimentando, reencontrando a sua juventude passada e encantada pela virilidade quase inocente dele. Era tão grande a juvenil força do moço a atravessar o corpo de Luamanda, que ensandecida, às vezes, quando ele estava lá embaixo no buraco-perna, ela pensava que o intumescido bastão dele ia penetrar no seu corpo, desde lá de baixo e lhe vazar pela boca afora. O amor não cabe em um corpo?

Tantos foram os amores na vida de Luamanda, que sempre um chamava mais um. Aconteceu também a paixão avassaladora pelo velho, pelas rugas que ele trazia na pele, pelo cansaço dele, pela cópula que ela esperava e espreitava durante dias e dias. Era tão bom contemplar aquele falo adormecido, preguiçoso, sapiente de tanto corpos-histórias do passado. Era como vivenciar uma duvidosa e infiel fé, sustentada por uma temerosa esperança de que o milagre não acontecesse. E foi no corpo do velho que ela melhor executou o ritual do amor. Pacientemente penteava ou ouriçava, com os dentes, os embranquecidos pentelhos do corpo dele. E de noite, depois de muitas noites, quando a pedra envergonhada e soturna se desabrochava em flor, ambos cavavam o abismo do abismo encontrando o nada como realidade única e, então, é que aconteciam as juras de amor. E o velho vinha lento, calmo, cuidadoso, cioso do fundo caminho que ele teria de adentrar. Ela também calma, apenas retesando suavemente os finos véus sanguíneos, bordados nas paredes vaginais. Ele chegava e ela silenciando os gritos se quedava embevecida diante do quase nada de um átimo de prazer. O amor é um tempo de paciência?

Se havia o amor na vida de Luamanda, também um grande fardo de dor compunha as lembranças de seu caminho. A vagina ensanguentada, perfurada, violada por um fino espeto, arma covarde de um desesperado homem, que não soubera entender a solidão da hora da partida. E, durante meses, o sangue menstrual de Luamanda, sangue de mulher que nasce naturalmente de seu útero-alma vinha misturar-se ao sangue e pus, dádivas dolorosas que ela ganhara de um estranho fim amoroso. E pior do que a dor foi a dormência de que foi atacada, em sua parte tão viva, durante meses a fio. Logo ali onde a vida se entranha e desentranha. Ali onde Luamanda havia parido concretas e vitalícias lembranças de si e de outro homem que ela amara tanto, nas doces visagens de seus filhos. Foi um tempo em que precisou exercitar a paciência com o seu próprio corpo. Trancada em si, ou melhor, aberta para si mesma, com as mãos espalmadas e leves imaginava lenitivos carinhos. Chorando alisava, bulia, contornava uma cicatriz que ficara desenhada em um ponto da pele, onde os pelos se rarearam para sempre. Era um ponto único, minúsculo, um impertinente calombo. Ali, então alisava a dor e seus contornos. Era preciso convencer-se na sua floresta espessa e negra de que o prazer era uma via retornável, de que o gozo ainda era possível. O amor comporta variantes sentimentos?

Entre encontros e desencontros, Luamanda estava em franca aprendizagem. Uma aprendizagem no por dentro e fora do corpo. A cada amor vivido, Luamanda percebia que a lição encompridava, mas que ainda faltavam testes, arguições, sabatinas e que ela sabia só um pouquinho ou talvez nem soubesse nada ainda.

Havia os filhos, três mulheres e dois homens. Todos eles já inaugurados no mistério maior da vida. A mais nova estava redonda da cabeça aos pés guardando e aguardando a velha e nova espécie humana desafiadora do tempo. Estava em vésperas de parir. Luamanda, avó, mãe, amiga, companheira, amante, alma-menina no tempo.

Alma-menina no tempo? Não, ela não se envergonhava de seu narcisismo. Era com ele que ela compunha e recompunha toda a sua dignidade. Encarou novamente o espelho e se lembrou de um poema, em que uma mulher, contemplando a sua imagem refletida, perguntava angustiada onde é que ela deixara a sua outra face, a antiga, pois não se reconhecia naquela que lhe estava sendo apresentada naquele momento.

Não, não era o caso de Luamanda, que se reconhecia e se descobria sempre. Pouquíssimos fios de cabelos brancos avançavam buscando criar um território próprio em sua cabeça. Escolheu esses fios, puxou-os querendo destacá-los entre os demais. Imaginou-se com os cabelos brancos sobre o rosto negro. Seria bela como a Velha Domingas lá das Gerais. Viajando no tempo-evento de sua vida, Luamanda, distraída, esqueceu-se do compromisso para o qual se preparava no momento. Acordou, para o encontro que estava por acontecer naquela noite, quando ouviu os assobios de alguém que aguardava por ela lá fora. Apressou-se. Podia ser que o amor já não suportasse um tempo de longa espera.

O *cooper* de Cida

O sol vinha nascendo molhado na praia de Copacabana. A indecisão do tempo, a manhã vagabunda nos olhos sonolentos dos moradores de rua, o trabalho inconsequente das ondas em seu fazer e desfazer, tudo isto comprometia o cooper de Cida. A moça foi diminuindo o passo. Ela era uma desportista natural. Corria o tempo todo querendo talvez vazar o minguado tempo do viver. Era preciso buscar sempre. O que tinha ficado para trás, o agora e o que estava para vir. De manhã, depois da corrida, ia à padaria, passava pela banca de jornal e trazia entre os dedos as notícias do dia que eram mal lidas. Rapidamente, graças ao curso de leitura dinâmica que fizera uns anos atrás, corria os olhos pelas manchetes tentando apreender os acontecimentos. Em casa, corria ao banho, ao quarto, à sala, à cozinha. Fervia o leite, arrumava a mesa, voltava ao quarto, avançava sobre o guarda-roupa e atracava-se ao uniforme de trabalho; logo depois já estava na sala fechando a porta e indo. Voava pelas escadas, pois o elevador era lento e no constante *cooper* ganhava a rua. Corria sobre a corda bamba, invisível e opressora do tempo. Era preciso avançar sempre e sempre. Ela era vencedora de outras distâncias. Já saltara montanhas e divisas de um tempo-espaço que ficara para trás. Como era mesmo a sua cidade natal? Não sabia bem. Lembrava-se, entretanto, de que as pessoas eram lentas. Andavam, falavam e viviam de-va-gar-zi-nho. A vida era de uma lerdeza tal, que algumas mulheres esqueciam-se de parir seus rebentos. A barriga crescia até aos onze meses. As crianças nasciam moles, desesperadamente calmas e adiavam indefinidamente o exercício de crescer. Cida desde pequena guardava um sentimento de urgência. Seu corpo aos nove anos maturou-se no sangue mensal de mulher. As suas brincadeiras prediletas, ainda nessa época, eram a de apostar corrida com as crianças e a de desafiar grandes e pequenas, no tempo gasto para execução de qualquer tarefa. Vencia sempre, utilizando um tempo diminuto em relação a todos.

Aos onze anos, Cida foi pela primeira vez ao Rio com a mãe, em viagens de negócios. A mãe reclamava da velocidade dos carros, do amontoado e da correria das pessoas, do vai e vem de todos. Cida bebeu enlouquecida o zigue-zague dos carros, das pessoas, dos pés quase voantes dos pedrestes desafiando, vencendo e encontrando a morte. Descobriu no turbilhão da cidade um jogo de caleidoscópio formado por peças, gente-máquinas se cruzando, entrecortando braços, rodas, cabeças, buzinas, motos, pernas, pés e corpos aromatizados pela essência da gasolina. Cida descobriu outras pessoas também portadoras da urgência de vida que ela trazia em si. E naquele momento optou por retornar um dia para ficar ali. Tinham razão, a cidade era maravilhosa.

Aos dezessete anos, um emprego, o primeiro, arranjado por um tio, permitiu que ela viesse para a capital. A vida seguia no ritmo acelerado de seu desejo. Trabalho, trabalho, trabalho. O dia entupido de obrigações. A noite festejada por encontros de rápidos gozos. Os amores tinham de ser breves. Cursos, estudos, somente aqueles que proporcionassem efeitos imediatos. Nada de sala de aula durante anos e anos e de leituras infinitas. — *Aprenda inglês em seis meses. Garantimos a sua aprendizagem em cento e oitenta dias.* — Nada de gastar o tempo curto e raro. É preciso correr, para chegar antes, conseguir a vaga, o lugar ao sol, pegar a fila pequena no banco, encontrar a lavanderia aberta, testemunhar a metade da missa. O padre era lento e o ritual também. Assistia à metade da liturgia, pelo menos não ficava com o remorso inteiro. Não perder a missa aos domingos foi a única recomendação que a mãe fizera. Alguns hábitos ela havia deixado para trás, outros reforçara, e havia adquirido alguns novos. Passou a beber diariamente um refrigerante, como também comprava todos os dias um jornal, que na maioria das vezes nem lia. Aumentara vertiginosamente o hábito de correr. Todas as manhãs, os pés de Cida pisavam rápido o calçadão da praia. Iam e vinham em toques rápidos e furtivos, como se estivessem envergonhados dos carinhos que o solo pudesse lhes insinuar no decorrer da marcha. A moça imprimia mais e mais velocidade a sua louca e solitária maratona. Corria contra ela própria, não perdendo e não ganhando nunca. Mas, naquele dia, a semidesperta manhã inundava Cida de um sentimento pachorrento, de um desejo de querer parar, de não querer ir. Sem perceber, permitiu uma lentidão aos seus passos, e pela primeira vez viu o mar. A princípio, experimentou uma profunda monotonia observando os movimentos repetidos e maníacos das ondas. Como a natureza repetia séculos e séculos, por todo o sempre, os mesmos atos? O dia raiar, a noite cair, o sol, a lua... O mar magnânimo lavando repetidamente, a curtos intervalos, a areia circundante. Tudo monótono, certo e previsível. Tão previsível como os principais atos dela: levantar, correr, sair, voltar. Contemplou os rostos que passavam, conhecia todos de relance. Todas as manhãs topava com aquelas faces suadas diante de si. Assustou-se. Percebeu que não estava correndo. Estava andando em câmera lenta, quase. Sentiu a planta dos pés, mesmo guardadas nos tênis, tocando o solo. Ela estava andando, parando, andando, parando, parando. Todos os seus membros estavam lassos, só o coração batia estonteado. Cida levou a mão ao peito. Sentiu o coração e os seios. Lembrou-se então de que era uma mulher e não uma máquina desenfreada, louca, programada para corrercorrer. Envergonhou-se dos orgasmos premeditados, cronometrados que vinha cultivando até ali. Ela não se entregava nunca e repudiava qualquer gesto de abandono que alguém pudesse ter diante dela. A corda bamba do tempo, varal no qual estava estendida a vida, era frágil, podendo se romper a qualquer hora. Era preciso, pois, um constante estado de alerta. O mar movimentou-se novamente num gesto aliciante e convidativo. Cida abandonou o calçadão e encaminhou-se para a areia. Sentiu necessidade de arrancar os tênis que lhe prendiam os pés e deixou aquelas correntes abandonadas ali mesmo. Afundou os pés na areia e contemplou mais uma vez o mar. Um nadador brincava repetidas vezes com os braços e a cabeça na água. Cida aguardou cá fora desejando ansiosa que ele saísse. Ela queria saber do tempo dele, barganhar momentos, pedir um tempo emprestado talvez. Como uma pessoa, em plena terça-feira, às seis e cinquenta e cinco da manhã, podia estar tão tranquilamente brincando no mar? Deveria ser extremamente rico. Viver de juros. Lembrou-se dos mendigos que constantemente cruzavam o seu caminho. Eram extremamente pobres. Ou o tempo não se media com moeda, ou as horas, os dias, os anos não seriam medidas justas do tempo. Ela estava com vinte e nove anos. Pouco? Muito? Medir, comparar, aquilatar os anos em relação a quê? Haveria um tempo outro amortecido no coração do tempo? O nadador continuava com a sua brincadeira. Cida desejou se lançar no mar à procura de algo que ela não encontrava cá fora. Dizem que o fundo do mar abriga riquezas e mistérios. Ela lembrou-se de que já passava da hora de voltar para casa. Era preciso continuar suas ações rotineiras, incorporar-se novamente ao cotidiano. Às sete e quarenta e cinco, Pedro acionaria a buzina do carro em frente ao prédio dela. Já pronta, desceria rapidamente a escada, e antes, bem antes das oito e trinta, se o trânsito estivesse bom, eles aportariam no escritório da Rio Branco. Era preciso ir, correr mais ainda. Havia maculado o tempo com o olhar e a espera pecaminosa diante do mar. O banhista tranquilo insistia em seu jogo. Cida veio voltando, entretanto lentamente. Outros corredores cá no calçadão iam e vinham. O mar insistia em se mostrar diante dela. Só então, naquele dia, ela percebera o mar. E como tudo era desmesuradamente belo. Atravessou calmamente a rua, não correu. Alguns mendigos saíam dos bares com copos plásticos cheios de café. Tomavam o líquido e tinham a expressão entorpecida de sono, fome, descompromisso e abandono. Qual seria a medida de tempo para eles? Em meio a esses pensamentos, Cida chegou à porta de seu prédio. Pedro fora do carro preparava-se para entrar e, ao deparar-se com ela, bradou assustado olhando para a moça da cabeça aos pés: *O que acontecera? Por que ela estava chegando do cooper naquele instante? Fora assaltada? Levaram-lhe os tênis? Era preciso subir rápido, voar, ela estava atrasadérrima.*

 Cida escutava tudo calada. Pedro gesticulava e falava rápido como se estivesse irradiando uma partida de futebol.

Lembrou-se de que, quando era criança, uma de suas diversões era colar o radinho no ouvido e ficar ouvindo a narração do futebol. Tinha a impressão de que a fala do locutor era mais rápida do que a bola nos pés dos jogadores. Parecia que era a palavra do homem que empurrava o jogo. Pedro bradava, bradava. O tempo estava passando e ela continuava ali apalermada. O que estava acontecendo? Só então Cida percebeu o motivo de aflição do amigo. Ela estava chegando atrasada do *cooper*. Tinha comprometido, extrapolado o tempo. O que havia acontecido? Não, não tinha acontecido nada. Não tinha sido assaltada. Apenas demorara mais, muito mais do que o costume. Se distraíra, esquecera das horas. Ele poderia ir, já estava bastante atrasado. Hoje ela não iria trabalhar, queria parar um pouco, não fazer nada de nada talvez. E só então falou significativamente uma expressão que tantas vezes usara e escutara. Mas falou tão baixinho, como se fosse um momento único de uma misteriosa e profunda prece. Ela ia dar um tempo para ela.

Zaíta esqueceu de guardar os brinquedos

Zaíta espalhou as figurinhas no chão. Olhou demoradamente para cada uma delas. Faltava uma, a mais bonita, a que retratava uma garotinha carregando uma braçada de flores. Um doce perfume parecia exalar da figurinha ajudando a compor o minúsculo quadro. A irmã de Zaíta há muito tempo desejava o desenho e vivia propondo uma troca. Zaíta não aceitava. A outra, com certeza, pensou Zaíta, havia apanhado a figurinha-flor. E agora, como fazer? Não poderia falar com a mãe. Sabia no que daria a reclamação. A mãe ficaria com raiva e bateria nas duas. Depois rasgaria todas as outras figurinhas, acabando de vez com a coleção. A menina recolheu tudo meio sem graça. Levantou-se e foi lá no outro cômodo da casa voltando com uma caixa de papelão. Passou pela mãe, que chegava com algumas sacolas do supermercado.

A mãe de Zaíta estava cansada. Tinha trinta e quatro anos e quatro filhos. Os mais velhos já estavam homens. O primeiro estava no Exército. Queria seguir carreira. O segundo também. As meninas vieram muito tempo depois, quando Benícia pensava que nem engravidaria mais. Entretanto, lá estavam as duas. Gêmeas. Eram iguais, iguaizinhas. A diferença estava na maneira de falar. Zaíta falava baixo e lento. Naíta, alto e rápido. Zaíta tinha nos modos um quê de doçura, de mistérios e de sofrimento.

Zaíta virou a caixa, e os brinquedos se esparramaram, fazendo barulho. Bonecas incompletas, chapinhas de garrafas, latinhas vazias, caixas e palitos de fósforos usados. Mexeu em tudo, sem se deter em brinquedo algum. Buscava insistentemente a figurinha, embora soubesse que não a encontraria ali. No dia anterior, havia recusado fazer a troca mais uma vez. A irmã oferecia pela figurinha aquela boneca negra, a que só faltava um braço e que era tão bonita. Dava ainda os dois pedaços de lápis cera, um vermelho e um amarelo, que a professora lhe dera. Ela não quis. Brigaram. Zaíta chorou. À noite, dormiu com a figurinha-flor embaixo do travesseiro. De manhã, foram para escola. Como o quadrinho da menina-flor tinha sumido?

Zaíta olhou os brinquedos largados no chão e se lembrou da recomendação da mãe. Ela ficava brava quando isso acontecia. Batia nas meninas, reclamava do barraco pequeno, da vida pobre, dos filhos, principalmente do segundo.

Um dia Zaíta viu que o irmão, o segundo, tinha os olhos aflitos. Notou ainda quando ele pegou uma arma debaixo da poltrona em que dormia e saiu apressado de casa. Assim que a mãe chegou, Zaíta perguntou-lhe por que o irmão estava tão aflito e se a arma era de verdade. A mãe chamou a outra menina e perguntou-lhe se ela tinha visto alguma coisa. Não, Naíta não tinha visto nada. Benícia recomendou então o silêncio. Que não perguntassem nada ao irmão. Zaíta percebeu que a voz da mãe tremia um pouco. De noite, julgou ouvir alguns estampidos de bala ali por perto. Logo depois, escutou os passos apressados do irmão que entrava. Ela se achegou mais para junto da mãe. A irmã dormia. A mãe se mexeu na cama várias vezes; em um dado momento sentou assustada, depois se deitou novamente cobrindo-se toda. O calor dos corpos da mãe e da irmã lhe davam certo conforto. Entretanto, não conseguiu dormir mais, tinha medo, muito medo, e a mãe lhe pareceu ter passado a noite toda acordada.

Zaíta levantou e saiu, deixando os brinquedos espalhados, ignorando as recomendações da mãe. Alguns ficaram descuidadosamente expostos pelo caminho. A linda boneca negra, com seu único braço aberto, parecia sorrir desamparadamente feliz. A menina estava pouco se importando com os tapas que pudesse receber. Queria apenas encontrar a figurinha-flor que tinha sumido. Procurou pela irmã nos fundos da casa e, desapontada, só encontrou o vazio.

A mãe ainda arrumava os poucos mantimentos no velho armário de madeira. Zaíta teve medo de olhar para ela. Saiu sem a mãe perceber e bateu no barraco de Dona Fiinha, ao lado. A irmã não estava ali também. Onde estava Naíta? Onde ela havia se metido? Zaíta saiu de casa em casa por todo o beco, perguntando pela irmã. Ninguém sabia responder. A cada ausência de informação sua mágoa crescia. Foi andando junto com a desesperança. Tinha o pressentimento de que a figurinha-flor não existia mais.

O irmão de Zaíta, o que não estava no Exército, mas queria seguir carreira, buscava outra forma e local de poder. Tinha um querer bem forte dentro do peito. Queria uma vida que valesse a pena. Uma vida farta, um caminho menos árduo e o bolso não vazio. Via os seus trabalharem e acumularem miséria no dia a dia. O pai dele e do irmão mais velho gastava seu pouco tempo de vida comendo poeira de tijolos, areia, cimento e cal nas construções civis. O pai das gêmeas, que durante anos morou com sua mãe, trabalhava muito e nunca trazia o bolso cheio. O moço via mulheres, homens e até mesmo crianças, ainda meio adormecidos, saírem para o trabalho e voltarem pobres como foram, acumulados de cansaço apenas. Queria, pois, arrumar a vida de outra forma. Havia alguns que trabalhavam de outro modo e ficavam ricos. Era só insistir, só ter coragem. Só dominar o medo e ir adiante. Desde pequeno, ele vinha acumulando experiências. Novo, criança ainda, a mãe nem desconfiava e ele já traçava o seu caminho. Corria ágil pelos becos, colhia recados, entregava encomendas, e displicentemente assobiava uma música infantil, som indicativo de que os homens estavam chegando.

Zaíta andava de beco em beco à procura da irmã. Chorava. Algumas pessoas conhecidas perguntavam o porquê de ela estar tão longe de casa. A menina se lembrou da mãe e da raiva que ela devia estar. Ia apanhar muito quando voltasse. Não se importou com aquela lembrança. Naquele momento, ela buscava na memória como o desenho da menina-flor tinha nascido em sua coleção. A figurinha podia ter vindo em um daqueles envelopes que o irmão, o segundo, às vezes comprava para ela. Quem sabe viera no meio das duplicatas que a mãe ganhava da filha da patroa, ou ainda fruto de alguma troca que ela fizera na escola? Mas podia ser também parte de um segredo que ela não havia contado nem para sua igual, a Naíta. A figurinha podia ser uma daquelas dez, que ela havia comprado um dia com uma moeda que tirara da mãe, sem que ela percebesse. Zaíta, por mais que se esforçasse retomando as lembranças, não conseguia atinar como a figurinha-flor tinha se tornado sua.

A mãe de Zaíta guardou rapidamente os poucos mantimentos. Teve a sensação de ter perdido algum dinheiro no supermercado. Impossível, levara a metade do salário e não conseguira comprar quase nada. Estava cansada, mas tinha de aumentar o ganho. Ia arranjar trabalho para os finais de semana. O primeiro filho nunca pedia dinheiro, mas ela sabia que ele precisava. E, sem que o segundo soubesse, Benícia colocava uns trocadinhos debaixo do travesseiro para ele, quando ele vinha do quartel. Havia também o aluguel, a taxa de água e de luz. Havia ainda a irmã com os filhos pequenos e com o homem que ganhava tão pouco. A mãe de Zaíta, às vezes, chegava a pensar que o segundo filho tinha razão. Vinha a vontade de aceitar o dinheiro que ele oferecia sempre, mas não queria compactuar com a escolha dele. Orgulhosamente, não aceitava que ele contribuísse com nada em casa. Estava, porém, chegando à conclusão de que trabalho como o dela não resolvia nada. Mas o que fazer? Se parasse, a fome viria mais rápida e voraz ainda. Benícia, ao dar por falta das meninas, interrompeu os pensamentos. Não ouvia as vozes das duas havia algum tempo. Deviam estar metidas em alguma arte. Sentiu certo temor. Veio andando aflita da cozinha e tropeçou nos brinquedos esparramados pelo chão. A preocupação anterior se transformou em raiva. Que merda! Todos os dias tinha que falar a mesma coisa! Onde as duas haviam se metido? Por que tinham deixado tudo espalhado? Apanhou a boneca negra, a mais bonitinha, a que só faltava um braço, e arrancou o outro, depois a cabeça e as pernas. Em poucos minutos, a boneca estava destruída; cabelos arrancados e olhos vazados. A outra menina, Naíta, que estava no barraco ao lado, escutando os berros da mãe, voltou aflita. Foi recebida com tapas e safanões. Saiu chorando para procurar Zaíta. Tinha duas tristezas para contar a sua irmã igual. Havia perdido uma coisa de que Zaíta gostava muito. De manhã tinha apanhado a figurinha debaixo do travesseiro. Queria sentir o perfume de perto. E agora não sabia mais onde estava a flor... A outra coisa era que a mamãe estava brava porque os brinquedos estavam largados no chão, e de raiva ela havia arrebentado aquela bonequinha negra, a mais linda...

Nos últimos tempos na favela, os tiroteios aconteciam com frequência e a qualquer hora. Os componentes dos grupos rivais brigavam para garantir seus espaços e freguesias. Havia ainda o confronto constante com os policiais que invadiam a área. O irmão de Zaíta liderava o grupo mais novo, entretanto, o mais armado. A área perto de sua casa ele queria só para si. O barulho seco de balas se misturava à algazarra infantil. As crianças obedeciam à recomendação de não brincarem longe de casa, mas às vezes se distraíam. E, então, não experimentavam somente as balas adocicadas, suaves, que derretiam na boca, mas ainda aquelas que lhes dissolviam a vida.

Zaíta seguia distraída em sua preocupação. Mais um tiroteio começava. Uma criança, antes de fechar violentamente a janela, fez um sinal para que ela entrasse rápido em um barraco qualquer. Um dos contendores, ao notar a presença da menina, imitou o gesto feito pelo garoto, para que Zaíta procurasse abrigo. Ela procurava, entretanto, somente a sua figurinha-flor... Em meio ao tiroteio a menina ia. Balas, balas e balas desabrochavam como flores malditas, ervas daninhas suspensas no ar. Algumas fizeram círculos no corpo da menina. Daí a um minuto, tudo acabou. Homens armados sumiram pelos becos silenciosos, cegos e mudos. Cinco ou seis corpos, como o de Zaíta, jaziam no chão.

A outra menina seguia aflita à procura da irmã para lhe falar da figurinha-flor desaparecida. Como falar também da bonequinha negra destruída?

Os moradores do beco onde havia acontecido o tiroteio ignoravam os outros corpos e recolhiam só o da menina. Naíta demorou um pouco para entender o que havia acontecido. E, assim que se aproximou da irmã, gritou entre o desespero, a dor, o espanto e o medo:

— Zaíta, você esqueceu de guardar os brinquedos!

Di lixão

Di Lixão abriu os olhos sob a madrugada clara que já se tornava dia. Apalpou um lado do rosto, sentindo a diferença, mesmo sem tocar o outro. O dente latejou espalhando a dor por todo o céu da boca. Passou lentamente a língua no canto da gengiva. Sentiu que a bola de pus estava inteira. O companheiro de quarto-marquise levantou um pouco o corpo e entre o sono olhou espantado, meio adormecido, para ele. Di Lixão encheu rápido a boca de saliva e deu uma cusparada no rosto do menino. O outro, num sobressalto, acordou de seu sono todo instinto de defesa. Pulou inesperadamente, acabando de se levantar. Di Lixão acompanhou o gesto raivoso do menino, levantando também. Numa fração de segundos recebeu um pontapé nas suas partes baixas.

Abaixou desesperado, segurando os ovos-vida. E foi se encolhendo, se enroscando até ganhar a posição de feto. Pela primeira vez, depois de tudo, se lembrou da mãe. Ainda bem que aquela puta tinha morrido! Ele sabia quem havia matado a mulher. Tinha visto tudo direitinho. Na polícia negou que estivesse por perto, que suspeitasse de alguém. Depois de três ou quatro idas à delegacia, os policiais acabaram por deixá-lo em paz. Ele sabia quem. Pouco importava. Que deixassem o homem solto. Não gostava mesmo da mãe. Nenhuma falta ela fazia. Não aguentava a falação dela. Di, vai para a escola! Di, não fala com meus homens! Di, eu nasci aqui, você nasceu aqui, mas dá um jeito de mudar o seu caminho! Puta safada que vivia querendo ensinar a vida para ele. Depois, pouco adiantava. Zona por zona, ficava ali mesmo. Lá fora, o outro mundo também era uma zona. Sabia quem tinha matado a mãe. E daí? O que ele tinha com isso?

As partes de baixo de Di Lixão doíam. O dente continuava a latejar. Será que ele ia morrer? Será que a dor de cima ia se encontrar com a dor de baixo? Será que o encontro seria uma dor só?

Pensou no colega de quarto-marquise. O menino havia sido mais esperto do que ele. Fugira. Ganhara o mundo. Já tinha bastante tempo que os dois dividiam aquele espaço. De dia perambulavam pela rua, cada qual no seu ganho. Encontravam-se ali no meio da noite. Às vezes conversavam muito. Falavam de tudo. Até de um pai, menos da mãe. Di Lixão achava que a história da mãe do outro devia parecer com a da sua mãe. Ele não sabia se gostava ou não do menino. Tinham quase a mesma idade. O menino, apesar de pequeno, tinha quatorze anos. Ele, no mês anterior, num dia qualquer, tinha feito quinze.

O dente de Di Lixão latejava compassadamente. Ele era uma dor só. As dores haviam se encontrado. Doía o dente. Doíam as partes de baixo. Doía o ódio.

DI LIXÃO

Sentiu vontade de mijar. Quando ele era pequeno, mijava nas calças. Sua mãe lhe batia sempre por isso. Um dia, ela, numa crise de raiva, ao ver o menino todo ensopado de mijo, puxou a bimbinha dele até quase arrebentar. E dizia para ele aos berros que aquilo era para mijar, para mijar, mijar, mijar... A dor que Di Lixão sentiu naquele dia voltava agora. O que era aquilo? Naquele dia a mãe havia puxado a bimbinha dele. Agora ele era grande, experimentado na vida. Tinha levado um chute no saco, nos ovos. E doía para cacete. A vontade de mijar se confundia com a dor. Naquela época, pensava que a bimbinha só servia para mijar, mijar, mijar. Agora não! Tinha crescido, a bimbinha se transformado em pau, cacete. Fazia muito tempo havia descoberto que bimbinha grande, em pé, tinha outro fazer. Tinha experimentado isto nos quartos daquelas putas.

Foi também no quarto ao lado do de sua mãe, com uma menina da idade dele, que como ele havia nascido ali, que experimentou o primeiro prazer a dois. Quando acabou tudo, quase morreu de vergonha. Estava na cama ainda e não conseguia parar. Não conseguia parar o mijo. Mijou-se todo.

Di Lixão estava com vontade de mijar. Queria levantar e não podia. Ia soltar nas calças. Não podia fazer. A mãe, aquela puta, era bem capaz de viver de novo e vir castigá-lo. Apalpou, meio sem jeito e envergonhado, as partes doídas. O dente latejou fundo no profundo da boca. Dor de dente matava? Não sabia. Sabia porém que ia morrer. Mas isto também, como a morte da mãe, pouca importância tinha. Onde estava o desgraçado do outro? Só não queria morrer tão sozinho.

Os primeiros trabalhadores passavam apressados. Di Lixão teve vontade de chamar um deles, mas silenciou o desejo na garganta. O sol anunciava o dia quente. Ele, entretanto, tremia de frio. Sentia um vazio na cabeça, no peito e no estômago. Tinha um pouco de fome. Havia umas duas semanas que aquele tumorzinho na boca, junto ao dente, doía que ele não podia comer quase nada.

Fez um esforço. Sentou. Pegou a bimbinha dolorida e fez xixi. Assustou-se. Estava urinando sangue. Passou a língua no canto da boca. O carocinho latejou. Num gesto coragem-desespero levou o dedo em cima da bola de pus e apertou-a contra a gengiva. Cuspiu pus e sangue. Tudo doía. A boca, a bimbinha, a vida... Deitou novamente, retomando a posição de feto. Já eram sete horas da manhã. Um transeunte passou e teve a impressão de que o garoto estava morto. Um filete de sangue escorria de sua boca entreaberta. Às nove horas, o rabecão da polícia veio recolher o cadáver. O menino era conhecido ali na área. Tinha a mania de chutar os latões de lixo e por isso ganhara o apelido. Sim! Aquele era o Di Lixão. Di Lixão havia morrido.

Lumbiá

Lumbiá trocou rapidamente a lata de amendoim pela caixa de chicletes com a irmã Beba. Fazia um bom tempo que estava andando para lá e para cá, e não havia conseguido vender nada. Quem sabe teria mais sorte se oferecesse chicletes? E, se não desse certo também, procuraria o colega Gunga. Juntos poderiam vender flores. A mãe não gostava daquela espécie de mercadoria. Dizia que flor encalhada era prejuízo certo. Sempre amanheciam murchas. Amendoim e chicletes não. Lumbiá gostava da florida mercadoria em seus braços. Tinha até um estilo próprio de venda. Ficava observando os casais. O momento propício para empurrar o produto era quando o casal partia para o beijo na boca. Ele assistia às bocas descolarem para oferecer a flor. Às vezes o casal se desgarrava, mas na mesma hora, sem respirar, o par se fundia de novo. Lumbiá ficava por perto olhando de soslaio para a mulher. E, quando notava que ela estava toda mole e o homem derretido, o menino se punha quase entre os dois, com a flor em riste, impondo a mercadoria. O caliente namorado enfiava a mão no bolso, tirava o dinheiro e pegava a rosa, recomeçando o carinho. Às vezes, tão distraído no beija-beija estava o casal que a rosa não era colhida das mãos do menino. E o troco honestamente oferecido ao freguês cansava de esperar na mão do vendedor. Lumbiá calculando o lucro da venda sorria feliz. Às vezes, o menino usava outro ardil para impulsionar a venda. Chegava elogiando a mulher, dizia que ela era linda e que os dois iam ser muito felizes. Havia casais que respondiam:

— Será? Estamos terminando agora!

O menino não se dava por vencido. Muito sério respondia:

— Não há grande amor sem problemas! Uma flor, uma rosa na despedida de vocês...

Vencia sempre. Feliz, Lumbiá e o amigo Gunga depois riam do beijo babado do homem e da mulher. Ele sabia também que não era só homem e mulher que se beijavam. Havia os casais, em que a dupla era formada por semelhantes. Homem com homem. Mulher com mulher. Esses casais não se beijavam em público. Às vezes, faziam um carinho rápido nas mãos do outro. Raramente compravam rosas. As mulheres se aventuravam mais. Compravam e ofertavam para a amiga presente. Lumbiá gostava muito de se aproximar dos casais semelhantes. Gostava da troca carinhosa a que ele às vezes assistia entre esses pares. O beijo era depositado nas

LUMBIÁ

mãos, que escorregavam levemente na direção da palma da outra pessoa, ou substituído pela leveza de uma flor-sorriso que se abria na intenção de um lábio a outro
Lumbiá tinha ainda outros truques. Sabia chorar, quando queria. Escolhia uma mesa qualquer, sentava, abaixava a cabeça e se banhava em lágrimas. Sempre começava chorando por safadeza, mas, em meio às lágrimas ensaiadas, o choro real, profundo, magoado se confundia. Nas histórias, que inventava nos momentos de choro para comover as pessoas, tinha sempre uma dissimulada verdade. Um dado real da vida dele ou do amigo Gunga se confundia com a invenção do menino. E, enquanto chorava o pranto ensaiado para comover os compradores, contava ora sobre a surra que havia levado da mãe, ora sobre a mercadoria que estava ficando encalhada (e ele precisava retornar para casa com um bom resultado de venda), ou, ainda, sobre o dinheiro, fruto de seu trabalho, que tinha sido tomado por um menino maior... E aos poucos, em meio às verdades-mentiras que tinha inventado, Lumbiá ia se descobrindo realmente triste, tão triste, profundamente magoado, atormentado em seu peito-coração menino.

Havia, porém, uma ocasião em que nada ameaçava os dias gozosos do menino: o advento do Natal. A cidade se enfeitava com luzes que brotavam de todos os cantos. Lâmpadas como fogueiras incendiárias ateavam um falso fogo iluminário sobre as fachadas dos prédios, sobre as árvores, das ruas, dos jardins públicos e privados. Entretanto, não era esse pirotécnico espetáculo que seduzia Lumbiá. Nem o personagem Papai Noel gordo e feliz, com o seu sorriso envidraçado dentro das vitrines. Das árvores de natal, não gostava dos pinheiros iluminados e coloridos. Dos presentes expostos nas vitrines, principalmente os embrulhados, tinha vontade de apanhá-los e amassá-los. Ficava irritado, sabia que tudo eram caixas vazias. Só havia uma coisa de que o menino gostava no Natal. Um único signo: o presépio com a imagem de Deus-menino. Todos os anos, desde pequeno, em suas andanças pela cidade com a mãe e mais tarde sozinho, buscava de loja em loja, de igreja em igreja, a cena natalina. Gostava da família, da pobreza de todos, parecia a sua. Da imagem-mulher que era a mãe, da imagem--homem que era o pai. A casinha simples e a caminha de palha do Deus-menino, pobre; só faltava ser negro como ele. Lumbiá ficava extasiado olhando o presépio, buscando e encontrando o Deus-menino.

Houve um ano em que uma notícia correu: a loja Casarão Iluminado, uma tradicional casa especializada em vendas de luminárias, abajures, etc., ia armar um presépio no interior da loja. Seria o maior e o mais bonito da cidade. E foi. Lâmpadas piscas-piscas, estrelas pendentes por fios finos e quase invisíveis iluminavam magicamente a paisagem, como se fosse um céu aberto sobre a manjedoura em que estava o Deus-menino. Animais pastavam mansamente sobre a relva, rios amenos cortavam os vales, que circundavam a cabana natalina. Os Reis Magos, os dois brancos, caminhavam um pouco abaixo da estrela-guia. O Rei Negro, aquele que parecia com o tio de Lumbiá, caminhava sozinho um pouco atrás, mas com passos de quem tinha a certeza de que iria chegar. A mãe e o pai de Jesus, piedosos, resguardando o Deus-menino. Toda a cidade comentava a beleza e a semelhança do presépio com a cena bíblica que narra o nascimento de Jesus. Lumbiá atento ouvia todos os comentários e aguardava a oportunidade de visitar a Belém instalada no interior da loja Casarão Iluminado. Havia, entretanto, um problema. Estava proibida a entrada de crianças sozinhas e para ele era quase impossível esperar pelo dia em que a mãe pudesse levá-lo, acompanhá-lo até lá. Na semana anterior, Gunga, Beba, Beta e outros já haviam feito algumas tentativas vãs.

Enquanto isso, o tempo corria. Lumbiá já tinha visto todos os presépios das redondezas. Em cada um seu coração batia descompassadamente quando fitava o Deus-menino. Tinha feito várias tentativas de entrar no Casarão, o vigilante vinha e o enxotava. O menino não desistia, ficava rondando de longe, adivinhando a beleza de tudo, do outro lado da calçada. Era um entra e sai intenso. A televisão e um jornal tinham falado sobre o presépio, que tinha sido feito por um grande artista. O dia caminhava para seis da tarde, vinte e três de dezembro. O menino aguardava ali desde as nove da manhã. Em sua viagem costumeira do subúrbio para o centro da cidade, se distanciou de Gunga e da irmã. Tinha flores nas mãos, rosas amarelas. Havia combinado com o amigo que venderiam flores, mas aquelas ele daria para o Menino Jesus e também poria algumas nas mãos do Rei Baltasar. Fazia frio, muito frio, era um dia chuvoso. Tinha a roupa colada sobre o frágil corpo a tremer de febre. A loja já estava para fechar. As vendas tinham cessado desde o dia anterior. O Casarão Iluminado abrira naquele dia só para visitação pública ao presépio. Precisava chegar até lá. Como? Já tinha feito várias tentativas, sendo sempre expulso pelo segurança. Ia arriscar novamente. Em dado momento aproximou-se devagar. Ninguém na porta. Mordeu os lábios, pisou leve e, apressado, entrou.

    Lá estava o Deus-menino de braços abertos. Nu, pobre, vazio e friorento como ele. Nem as luzes da loja, nem as falsas estrelas conseguiam esconder a sua pobreza e solidão. Lumbiá olhava. De braços abertos, o Deus-menino pedia por ele. Erê queria sair dali. Estava nu, sentia frio. Lumbiá tocou na imagem, à sua semelhança. Deus-menino, Deus-menino! Tomou-a rapidamente em seus braços. Chorava e ria. Era seu. Saiu da loja levando o Deus-menino. O segurança voltou. Tentou agarrar Lumbiá. O menino escorregou ágil, pulando na rua.

O sinal! O carro! Lumbiá! Pivete! Criança! Erê, Jesus Menino. Amassados, massacrados, quebrados! Deus-menino, Lumbiá morreu!

Os amores de Kimbá

Kimbá acordou às cinco e quarenta e nove da manhã. Levantou rápido da cama e olhou o tempo. O céu já andava claro e um bruto sol ameaçava penetrar em tudo. Um dia ensolarado prometia acontecer. Sentiu-se mais aliviado. Detestava chuva. Chuva na favela era um inferno. O barro e a bosta se confundiam. Os becos que circundavam os barracos se tornavam escorregadios. As crianças e os cachorros se comprimiam dentro de casa. As mães passavam o dia inteiro gritando para que os Zezinhos sossegassem. Antes, ele fora também Zezinho. Kimbá foi o apelido que um amigo rico, viajado por outras terras, lhe dera. O amigo notou a semelhança dele com alguém que ele havia deixado na Nigéria. Então, para matar as saudades que sentia do amigo africano, rebatizou Zezinho com o nome do outro. O brasileiro seria o Kimbá. Zezinho gostou mais do apelido do que do próprio nome. Sentiu-se mais em casa com a nova nomeação. Olhando e sentindo o dia, Kimbá por um instante teve o desejo de deitar novamente. Era preciso, entretanto, movimentar a vida até à morte. Esse pensamento foi acompanhado de um movimento tão brusco, que o eco de seus gestos agrediu o sono de quem dormia no quarto ao lado, vizinho ao seu. Vó Lidumira, a velha sentinela, que, durante toda a noite, aflitivamente murmurou rezas, tossiu seco e pigarreou uma ave-maria. As duas irmãs de Kimbá, que igualmente ali dormiam, semidespertadas pelo acordar do rapaz, disputaram mais uma vez o único travesseiro, em que juntas aninhavam a cabeça. Sua mãe e suas tias, também contaminadas pelo movimentar do moço, lá do outro lado da parede, estremeceram, cada uma por sua vez, mas como se tivessem sido atravessadas por uma mesma e fina lâmina de aço, da cabeça aos pés.

Kimbá olhou comovido para o irmão mais velho que dormia ali no mesmo quarto com ele. Gostava do mais velho. Coitado do Raimundo! Sempre bêbado e sempre querendo mais e mais cachaça. Observou a imobilidade do outro e riu de sua própria agilidade, de seus movimentos sem direção, sem alvo certo. Levantou, e de pé sentiu melhor o seu corpo. Era alto. Espichando o braço, ultrapassava o telhado. Ficou uns segundos gozando o prazer que seu tamanho lhe dava. Sabia-se alto. Sabia-se forte. Sabia-se bonito. As mulheres gostavam dele e os homens também. Aliás, foi uma descoberta que lhe assustou muito. Uma situação perturbadora que ele lutava para esconder: os homens gostavam dele também.

Kimbá desceu um por um os degraus da escadaria da ladeira. Cá embaixo, sentiu dor e alívio. Tinha conseguido sair do barraco. Deixar tudo para trás. Todos os dias pensava que não conseguiria. Detestava a pobreza, a falta de conforto, a fossa exalando o cheiro de merda. Detestava o rosto lavado lá fora no tanque, o café no copo vazio que antes fora de geléia de mocotó, o pão comprado ali mesmo na tendinha. Detestava a voz alta e forte da mãe, as rezas de Vó Lidumira, os cuidados das tias e os olhares curiosos das irmãs. As irmãs viviam perguntando tudo. Aonde ele ia? De onde ele vinha? Com quem ele saía? Perguntavam tudo em silêncio. Olhavam para ele de cima a baixo, e o olhar delas parava justamente ali. Um dia ele estava com a braguilha aberta e só percebeu quando os olhares das duas pararam direto ali, mexendo com o pudor dele. Envergonhado, puxou o zíper. Porém, não tinha nada a temer, o membro dormia esquecido, macio. Ele detestava também ter de ser dois, três, vários talvez. Dava trabalho mudar o rosto, o corpo, mudar até o gosto. Seria tão bom se ele pudesse ser só ele. Mas o que era ser ele? Era ser o Zezinho? Era ser o Kimbá?

    Zezinho cresceu solto pelos becos do morro. Empinava pipas, vendia picolé, aprendia um pouco das coisas da escola. Ganhava uns trocados da mãe e das tias. Brigava com as irmãs. Provava de vez em quando uns goles de pinga do irmão, que já naquela época bebia muito. Zezinho gostava de jogar capoeira. Vovó Lidumira pegava o rosário e ficava rezando-rezando, enquanto ele atacava um inimigo imaginário. Ela rezava pedindo à Senhora do Rosário que protegesse o menino. Estava chegando o tempo de guerra, dizia Vovó Lidumira. Zezinho ria. Jogava capoeira até se cansar. Depois entrava no tanque e se banhava. Saía fresco e calmo. Descia o morro e ia encontrar os amigos. Ele não gostava de seus colegas vizinhos, gostava da turma lá de baixo. No meio deles, os lá de baixo, ele, Zezinho, era o diferente. Era o que jogava capoeira, o que morava no morro, o que contava as histórias. Era ouvido sempre. Frequentava a casa de alguns sonhando com o dia em que teria tudo como eles.

Kimbá ia se distanciando do morro. Caminhava com passos seguros, tranquilos. A miséria e tudo que detestava tinha ficado para trás. Enfiou a mão no bolso, tocou na carteira que Beth tinha lhe trazido do exterior. Beth gostava dele e ele estava gostando também da mulher. Foi o amigo que lhe batizara com o nome africano que fizera as apresentações. Ela era prima do amigo, talvez. Na noite em que se conheceram, tinha acontecido um encontro bom, gostoso e cheio de safadezas. Os dois, ele e o amigo, tinham ido à casa de Beth. O amigo falava sempre dela. Estavam bebendo na sala, quando a mulher se levantou, pediu licença e foi ao banheiro. Voltou logo após, nua. Nuazinha! O amigo começou a beijá-la e acariciá-la. Aos poucos, foi tirando a roupa também. Ficaram os dois naquela louca brincadeira. O homem já estava pronto, prontinho para penetrar na mulher. Kimbá estava louco também. Tinha vergonha e desejos por todo o corpo. Estava assentado, parado, duro, de tempo em tempo cruzava e descruzava as pernas. O amigo veio caminhando lentamente em sua direção. Abriu a camisa e a calça dele beijando-lhe avidamente o membro ereto. Kimbá se assustou. Depois o amigo pegou-lhe pelo braço e o empurrou em direção da mulher. Beth abraçou-o buscando o seu corpo com firmeza. O amigo regozijou. Riu, riu e riu.

Kimbá esqueceu o outro, esqueceu de si próprio e se lançou dentro dela. Quando se percebeu novamente, estavam os três deitados no chão. O homem calmo, satisfeito como ele e a mulher. E, só então, se viu e sentiu nu. Comparou o negrume de seu corpo com a alvura dos corpos dos dois. Achou tudo muito bonito. Queria se vestir, porém. Suas roupas estavam na poltrona, um pouco distante. E agora, como caminhar na frente dos dois? Queria se levantar e não sabia como. O amigo e a mulher se levantaram por ele e se encaminharam para o banheiro. Quando voltaram, Kimbá estava de pé, vestido no meio da sala. Queria ir embora, já era tarde. Precisava subir o morro. Os dois insistiram para que ele ficasse. Não, não podia ficar mesmo. O amigo perguntou se ele queria dinheiro para o táxi. Não queria. Gostava de andar a pé pela madrugada. Kimbá saiu daquele encontro de corpo leve. Não sabia, porém, se estava feliz ou infeliz. Já tinha ouvido falar de pessoas que transavam juntas, mas pensava que fosse caso de cinema. Não sabia por que tinha feito aquilo. A mulher tinha um corpo bonito. Cheirava a perfumes e a sabonete. E o amigo? O que deu no amigo? Quando pensou que o amigo fosse penetrar na mulher, eis que o homem se levanta, vai atrás dele, abre a roupa dele e ainda por cima beija o membro dele! Será que o amigo era? Será que era? E agora, o que ele ia fazer? Gostava tanto dele. Frequentava a casa dele, saía com ele às vezes. Conhecera algumas amigas e amigos deles. Nunca havia percebido nada. Será que o homem ia dar em cima dele?

Quando Kimbá empurrou a porta do barraco em que morava, já era madrugada alta, quase manhã. Pôde escutar o ressonar da avó, da mãe, das tias e das irmãs. Seu irmão, Raimundo, roncava alto. Da boca aberta exalava um hálito de cachaça. Virou o irmão com cuidado, o ronco diminuiu. Sentiu em seu próprio corpo o cheiro da mulher. Vestiu o calção e foi lá fora no tanque. Pegou um pedaço de sabão de coco, ligou a borracha e começou a se ensaboar. Tinha se acostumado com o sabão de coco. Não gostava de fragrância de sabonete em si próprio. Depois veio para a cama. Segunda-feira, o dia já rompia. Kimbá não conseguiu dormir. Nas horas seguintes, não se levantou. Não desceu o morro. Não foi ao supermercado trabalhar.

Beth possuía Kimbá querendo ter certeza de que o homem era seu. Sabia dele com Gustavo; aliás, o conhecera por meio dele. Havia muito que o amigo nutria uma paixão, um desejo intenso por Kimbá, mas não tinha tido a coragem de abordá-lo. No dia em que Gustavo falou que ia apresentá-la a um negro lindo, Beth não se entusiasmou. Estava cansada dos exageros dele. Mas com poucos encontros, no primeiro talvez, ficara apaixonada. Uma coisa a estava preocupando. Tinha de resolver esta questão sozinha. Não podia esquecer que entre ela e Gustavo havia um acordo tácito. Nada de ciúmes, nada de disputa entre os dois, caso um se envolvesse com o parceiro do outro. Mas com Kimbá estava sendo diferente. Não suportava pensar nele deitado recebendo e dando carinhos a alguém que não fosse ela. E o pior é que ele, que antes ficava tão sem jeito na situação, agora parecia transitar, viver, fazer amor naturalmente com os dois.

Kimbá jogou água e sabão no chão esfregando violentamente a sujeira como se estivesse com raiva. Estava mesmo. Estava cansado do dia a dia no supermercado e da noite a noite com Beth e o amigo. Não aguentava mais. Ou era o amigo ou era Beth. Eles lhe dariam tudo, caso ele quisesse. Tanto um como o outro já lhe haviam feito a proposta, para que ele deixasse de trabalhar e fosse morar em casas deles. Era tentador. Deixar a favela. Deixar a miséria. Deixar a família. As rezas de Vó Lidumira o irritavam profundamente. A velha rezava por tudo e por nada. E ele não via milagre algum. Não via nada de bom acontecer com ela ou com a família. A avó nascera de mãe e de pai que foram escravizados. Ela já era filha do "Ventre Livre", entretanto vivera a maior parte de sua vida entregue aos trabalhos em uma fazenda. A mãe e as tias passaram a vida se gastando nos tanques e nas cozinhas das madames. As irmãs iam por esses mesmos caminhos. E ele, ele mesmo, estava ali, naquele esfrega-esfrega de chão de supermercado.

Kimbá estava gostando de Beth. Tinha vergonha desse sentimento. Não sabia como ajeitar a mulher dentro e fora

do peito. Não poderia dizer para ninguém, muito menos para Gustavo. O amigo levava tudo na brincadeira. Até a amizade dos dois parecia uma brincadeira. Não seria ele que iria estragar tudo dizendo que estava gostando da moça. Havia o pior ainda. Ela era de um mundo que diziam não ser o dele. Gustavo também era das "altas", como dizia ele próprio às vezes, quando se referia às desavenças que tinha com os pais. Ele não podia esquecer isso. Tinha de transar no meio dos dois e ter cuidado, muito cuidado.
 Kimbá achava Beth muito diferente das mulheres que ele conhecera até então. Era diferente da avó, da mãe, das tias e das irmãs. Era diferente de todas as mulheres que ele conhecera na favela e no trabalho. Diferente em tudo. Desde a maneira de fazer a coisa, como na de se vestir depois. Tudo na mulher parecia ensaiado. Tinha pose para sentar, para levantar, para comer, para se sentar no vaso... Um dia ele viu a mulher sentada para fazer xixi ou cocô. Ela estava com o corpo ereto, como se estivesse em um trono. Kimbá às vezes achava que Beth era inventada, fabricada para bulir com os sentimentos, com os desejos e com a vida dele.
 O amigo de Kimbá tinha certeza de que o homem não era seu. Sabia dele com Beth. Kimbá ficava com ele por amizade ou interesse talvez. Sabia que, se ele tivesse de fazer uma escolha, optaria pela mulher. Sentiu um misto de ciúmes e mágoa. Afinal tinha sido ele que havia apresentado Kimbá para a amiga. Sabia também que não era justo ficar magoado com ela e com Kimbá muito menos. Nenhum dos três tinha previsto sentimentos que pudessem mudar a situação. Jamais havia pensado em se apaixonar por Kimbá e agora estava ali, desinteressado de tudo e de todos, pensando só no homem, tal qual namoradinho envolvido pelo primeiro amor. E agora o que fazer? Que rumos tomar ou dar àquilo tudo? Como falar com Kimbá? Como mostrar ao rapaz no que tinha dado a brincadeira...

Kimbá caminhava firme em direção à casa de Beth. Sabia que ela e Gustavo esperavam por ele. Tinham combinado tudo na noite anterior. Tinham colocado o dedo na ferida. Beth estava apaixonada por ele. Ele estava apaixonado por Beth. O amigo estava apaixonado por ele. Estavam tentando viver. Beth tinha dinheiro. O amigo, dinheiro e fama. Kimbá, a noite e o dia. A decisão seria, portanto, de Kimbá, que não tinha nada a perder. Só a vida. Era só ele querer. Já que não estava dando para viver, por que não procurar a morte? Seria fácil. Primeiro Beth, depois o amigo e em seguida ele. A morte selaria o pacto de amor entre eles. A morte pelo amor dos três.

Ao acordar às cinco e quarenta e nove da manhã, Kimbá já tinha a vida acertada. Vó Lidumira, a velha sentinela, insistia em suas rezas, tinha o rosário nas mãos e murmurava padre-nossos, ave-marias e salve-rainhas. Kimbá não queria mais nada do céu, da terra ou do inferno. Ele sabia que o seu dia estava rompendo. Seria preciso coragem, muita coragem. Se as orações de Vó Lidumira nunca valeram nada, agora era o que menos valia. Detestou, profundamente, mais uma vez, a avó.

Kimbá caminhava firme, estava chegando. Parou na porta do prédio olhando tudo. Sorriu para o porteiro. O elevador demorou. Subiu a pé até ao nono andar. Beth e o amigo já esperavam por ele. Estavam os dois nus. Kimbá tirou lentamente a roupa e se sentou. Os copos já estavam preparados. Ele, com um ligeiro tremor de mãos, ofereceu o primeiro copo à mulher. O segundo ofertou ao amigo. Ao pegar o terceiro copo, o dele, teve um breve desejo de recuo. Beth e Gustavo já estavam deitados no chão à espera do mais nada. Kimbá procurou algum motivo de vida. Os amigos estavam na quase morte. Sorveu de uma única vez a sua porção e se deitou ali no meio, para esperar com eles também.

Ei, Ardoca

O barulhar seco e cortante do trem irritava os ouvidos de Ardoca. O atrito da máquina nos trilhos ecoava constantemente no fundo de seus tímpanos. Aos domingos, dentro de casa, no silêncio da mulher, nas vozes e brincadeiras dos filhos, ele ouvia o grito arranhado do aço espichado sobre o solo. Grito lancinante e cortante debaixo do comboio pesadão que parecia massacrar a linha férrea inerte. Ardoca nascera quase que dentro daquela máquina. Sua mãe, moradora do subúrbio, fazia a viagem diária rumo ao trabalho. Ela grávida, ele estufando na barriga materna respondia aos solavancos do trem com chutes internos. Depois, cá fora, no mundo, no colo da mãe, acordava e chorava durante todo o tempo da viagem. Cresceu em meio aos solavancos, ao empurra-empurra, aos gritos dos camelôs, às rezas dos crentes, às vozes dos bêbados, aos lamentos e cochilos dos trabalhadores e trabalhadoras cansados. Assistiu inúmeras vezes, como testemunha cega e muda, a assaltos, assassinatos, tráfico e uso de droga nos vagões superlotados. A cada viagem, Ardoca mais estranhava e desacostumava à vida do trem. Queria viajar com o mesmo descuido de alguns que jogavam porrinha ou dormiam durante o percurso, mas permanecia sempre desesperadamente acordado. Estava sempre atento, tenso, como se o trem, a qualquer momento, pudesse autocolidir, se autoembarafunhar, fazendo com que o último vagão se fechasse em círculo sobre o primeiro e soltasse tudo pelos ares.

E foi então que, em uma tarde, Ardoca caminhou com passos lentos em direção à estação. Era sábado. O movimento menor de passageiros não garantiu, porém, a possibilidade de um lugar vazio. Ele se sentia cansado por todos os dias, todos os trabalhos, e por toda a vida. Entrou na fila para a compra do bilhete. O funcionário deu-lhe o troco. Ardoca com um gesto recusou. Olhou o trem, a composição pareceu-lhe mais longa ainda. Subiu com dificuldades, encostou-se à parede do vagão e depois lentamente foi escorregando o corpo até chegar ao chão. Algumas pessoas riram. Alguém gritou que o homem estava bêbado. Outro completou a observação dizendo que o dinheiro do pobre não dava para o alimento, mas dava para a cachaça. O trem continuava parado, mas a barulheira sobre os trilhos alcançava e feria os ouvidos de Ardoca. Ele sorria um pouco. Um suor frio escorria sobre a sua face. Um grupo de crentes cantava olhando para ele como se quisesse comovê-lo. Aleluiavam aos altos brados um Senhor que, segundo eles, falava em silêncio aos homens. Ardoca abandonava o corpo, que pendia lentamente para um lado. O passageiro do banco próximo encolheu o pé. Um camelô que vendia água pulou por cima dele para atender uma pessoa. Ardoca respirava com dificuldade, debaixo do negro de sua pele, um tom amarelo desbotado aparecia. Uma mulher levantou, comprou um copo d'água e deu-lhe de beber, tentando reanimá-lo. Os crentes continuavam bradando o hino. O vendedor de água, buscando um espaço para fazer valer a sua fala, anunciava o seu produto em altíssima voz. O trem parado continuava mortificando os ouvidos fragilizados de Ardoca. Enquanto isso, sua vida ia se aprofudando mais e mais no dissentir de tudo. Ele buscava a respiração lá no fundo. A mulher que lhe socorreu parecia querer chorar. Neste momento entrou no vagão um passageiro correndo e gritando. Desesperado, empurrou as pessoas buscando passagem em direção ao rapaz desfalecido, chamando por ele:

— Ei, Ardoca! Ei, Ardoca!

Rapidamente o tomou no colo, desceu do trem e o depositou no banco da estação. A composição iniciou lentamente a partida. Cá de dentro, a mulher que se condoera de Ardoca e alguns outros passageiros ainda puderam ver. Aquele que o socorrera estava a meter a mão nos bolsos de Ardoca e a arrancar-lhe os sapatos e o relógio que ele trazia no pulso. Ardoca estava sendo assaltado. A mulher fez menção de descer, mas a máquina ganhou velocidade e partiu. Não era preciso, porém, nem dor, nem lágrimas. O outro podia levar os poucos pertences de Ardoca. Podia tomar-lhe tudo. Ardoca não tinha mais nada, nem a vida. Naquela tarde, ainda no trabalho, ele resolvera tudo. Num gesto desesperado e solitário bebera lentamente um veneno e decidira levantar para morrer no trem. O outro levava os pertences de alguém que já despertencia à vida e jazia no banco da estação.

O barulho da máquina sobre os trilhos entoava uma música réquiem de descanso eterno para Ardoca. Amém.

A gente combinamos
de não morrer

A morte brinca com balas nos dedos gatilhos dos meninos. Dorvi se lembrou do combinado, o juramento feito em voz uníssona, gritado sob o pipocar dos tiros:

— A gente combinamos de não morrer!

Limpou os olhos. Lágrimas apontavam diversos sentimentos. A fumaça que subia do monturo de lixo, ao lado, justificava qualquer gota ou rio-mar que surgisse e rolasse pela face abaixo. Era a fumaça, desculpou-se consigo mesmo e cantarolou mordiscando a dor, a canção do Seixas: "Quem não tem colírio usa óculos escuros."

A morte incendeia a vida, como se essa estopa fosse. Molambos erigem fumaça no ar. Na lixeira, corpos são incinerados. A vida é capim, mato, lixo, é pele e cabelo. É e não é. Na televisão deu:

— Mataram a mulher, puseram o corpo na lixeira e atearam fogo!

Dorvi respirou e aspirou fundo. Mas que merda, pó contaminado, até parece talco para pôr na bunda de neném. Pois é, meu filho nasceu. Um pingo de gente. Quando Bica me mostrou, nem tive coragem de olhar direito. Pequeno, tão pequeno! Deveria ter ficado na barriga da mulher, ou melhor, incubado como semente dentro do meu caralho. Quis cutucar o putinho com a ponta de minha escopeta. Bica se afastou como se o filho fosse só dela. Não sei para que o medo.

Não sei por que o medo, pensou Bica. Se ao menos o medo me fizesse recuar; pelo contrário, avanço mais e mais na mesma proporção desse medo. É como se o medo fosse uma coragem ao contrário. Medo, coragem, medo, coragemedo, coragemedo de dor e pânico. A festa está se dando. Balas enfeitam o coração da noite. Não gosto de filmes da tevê. Morre e mata de mentira. Aqui, não. Às vezes a morte é leve como a poeira. E a vida se confunde com um pó branco qualquer. Às vezes é uma fumaça adocicada enchendo o pulmão da gente. Um tapa, dois tapas, três tiros... Minha mãe brincava assim com a gente: "*Um elefante amola a gente, amola! Dois elefantes amola a gente, amola, amola! Três elefantes amola a gente, amola, amola, amola, quatro elefantes...*"

A vida é tanta amolação. A minha mãe ia e ia. Seguia amolando a gente com aquela cantiga besta, mas que me fazia feliz. Idago, meu irmão, não. Ele ficava puto e mandava a velha calar a boca. Puta ficava a mãe. Era mesmo o final dos tempos! Onde já se viu, filho mandar a mãe calar? Ela não calava, cantava mais alto ainda. Um dia, com tanta raiva, cantou tão alto, que quando parou estava rouca e soluçando. Idago olhou para ela de soslaio, pediu a bênção e saiu. Nem desceu o morro. Vacilou, dançou. Minha mãe recebeu a notícia que ela já esperava. Foi lá, acendeu uma vela perto do corpo. Uma fumacinha-menina dançava ao pé de Idago. Só ela, a fumacinha, a mãe e eu ali velamos o corpo de meu irmão. Um tapa, dois tapas, elefantes, patas pisam na gente. Escopetas, como facas afiadas, brincam tatuagens, cravam fendas na nossa tão esburacada vida. Balas cortam e recortam o corpo da noite. Mais um corpo tombou. Penso em Dorvi. Apalpo o meu. Peito, barriga, pernas... Estou de pé. Meu neném dorme. Ainda me resto e arrasto aquilo que sou.

Saraivadas de balas, de instantes em instantes, retumbam no interior da casa, ameaçando a diversão da mãe de Bica e de Idago. Dona Esterlinda levanta irritada e muda de canal de televisão. Lá fora, balas e balas, independente do desejo da mulher, executam continuadamente a mesma e seca sonata. Uma programação mais amena vai entorpecendo os sentidos da mulher.

O que mais gosto na televisão é de novela. Acho a maior bobeira futebol, política, carnaval e show. Bobagem também reportagem, campanha contra a fome, contra o verde, contra a vida, contra-contra. Contra ou a favor? Sei lá, confundi tudo. Acho que é contra mesmo. Contra e não. Contra-mão. Ando sentindo dores nas pernas. Também! "Lata d'água na cabeça, lá vai Maria". Sobe o morro, desce o morro e se cansa dessa dança. Filhos? Não sou boba, só dois. Cuspi fora uns quatro ou cinco. Provoquei. *"Eu confessor, me confesso a Deus, meu zeloso guardador, bendito sois vós, que olhe por mim."* Na novela das oito, Lidiane era babá do menino Carlos Rodrigues Magnânimo. Ela ensinou a criança a rezar. Tudo era grande na casa dos Rodrigues Magnânimo.

A casa, o carro, a mesa, o guarda-roupa, o tapete, tudo. O vestido de noiva da tia de Carlos Rodrigues vestia todo o caminho do altar. Atravessava de ponta a ponta o corredor de uma grande igreja. É tão bom ver novela. Não gosto de ver os crimes, roubos e nem noticiários de guerra. Novela me alivia, é a minha cachaça. Hoje, me lembro que exatamente hoje, há cinco anos, meu filho desceu o morro e caiu. Idago era tão bonito! Podia trabalhar na televisão, feito aquele negro que é ator. Podia ser cantor também. Tinha o dom. Cantava e assobiava tão bem quando era menino. Foi crescendo e ficando cada vez mais calado, irritado, brigando sempre comigo e com a irmã Bica. Tudo amolava Idago. Lembrei da musiquinha que aprendi com a minha mãe e acho que ela aprendeu com a mãe dela. Um dia Idago cantou assim para mim: *"uma mãe amola a gente, uma irmã amola a gente, um inimigo amola a gente, um policial amola a gente"* e foi dizendo uma porção de coisa que amolava a vida dele. Acho que, para Idago, o mundo era só amolação.

Eu, Bica, sei um pouco do segredo. Um pouco do saber basta. O saber compromete, penso eu. Idago sabia, falou, dançou. Morreu. Feriu o código de honra, a palavra dada. A palavra que não se escreve, pois escrita está na palma e na alma de cada um. É preciso trazer sempre a mão aberta. O jogo é limpo. Traiu, caiu. Idago mereceu. Aliás, era traidor desde menino. Um bundão, safado. Na escola, era todo mundo, ou quase todos a destelhar a cantina para pegar a merenda armazenada. Uns subiam, outros vigiavam. Só queríamos os biscoitos, comer com antecedência, o que era nosso. Premiar a nossa fome anterior, a do momento e a posterior. Sei lá se era um jogo inocente ou maldoso. No outro dia debochávamos da cara dos professores. A diretora se descabelava toda. Ela sabia que era armação dos alunos. Sabia também que alguns tinham outras artimanhas. Traziam a coisa escondida por dentro do sapato, lá no cantinho da meia. E depois tudo transitava de mãos em mãos feito aquela brincadeira inocente de passa anel. Um dia Idago brigou com um da turma. Aí melou. Deu com a língua nos dentes. Vomitou tudo. Falou do telhado, dos biscoitos, do incenso proibido que, lá no fundo da escola ou até nos banheiros, adocicava o ar e também do talco mágico nos pés de alguns. Os grandes ficaram putos com ele. Mandaram dizer para mãe que cuidasse da boca traidora do filho dela. Língua cortada não fala. Logo depois, chegaram e pediram que a mãe chamasse o peste. Um menino maior, que mancava devido a uma bala perdida, segurava com as mãos a boca de Idago. E outro derramou um vidro de pimenta pela goela adentro daquele que cultivava a língua venenosamente solta. Pimenta nos olhos dos outros não arde. Aquela ardeu nos olhos de mãe e até nos meus. Ela e Idago choravam. Eu quase. Pimenta talvez. Afinal meu irmão já não era tão inocente. Estava com onze anos; eu tinha doze. Ele já sabia o alcance de suas palavras. Sabia do alcance de falas como aquelas. As palavras, às vezes, feriam segredos e escorregavam pela ladeira abaixo parando lá na delegacia.

Alguém cantou a pedra e o segredo foi rompido. A desgraça vaza dos poros da terra. O mundo explode. Seres de mil mãos agarram tudo. Nada escapa. Tudo se torna objetos agarráveis: gente, coisa, bicho... Às vezes me pego assustado diante da tevê. O mundo explode é aqui mesmo. Quem derramou o pó há de juntar toda a poeira. Faca amolada corta e pode ser um jogo lento, ótima tortura. Arranco os bagos do filho da puta que me traiu. Acerto as contas, as minhas. Levo o concluído e entrego ao bacana. Nunca falhei. Ele retira o que é dele e devolve o que é meu. Hoje não terá devolução alguma. Devo. Falta. A dívida do outro é minha dívida. É? O apartamento da chefia é bonito. Olhando

para baixo, se vê o mar. Quero a morte lenta e calma. Quero boiar no profundo fundo do mar. Quero o fundo do mar-
-amor, onde deve reinar calmaria. É lá no profundo fundo que vou construir um castelo para a morada de meu filho. Bica, predileta minha, vai também. Ela sabe que da ponta da escopeta também sai carinho. No fundo do mar, mundo algum explode. Bica, dileta minha, a vida explode. Explode, ode, ode, ode... Mar-amor. O meu desejo é um castelo de areia? Nem sei... Um dia, copo de uísque na mão, de lá de cima olhei o mar. Eu era grande, no alto de tudo. O mar lá embaixo abrindo todo, todo. Grande é o mar. Quando não estou com minha arma por perto, me borro de medo. Tenho vontade de chorar. Olhando o mar lá de cima, vi que pequeno sou eu. O outro, o que me fornece, estava na sala com os amigos e me chamou para dentro. É um pessoalzinho meio besta. Não tenho ilusão. O que temos em comum é o pó do qual somos feitos. É o pó que nos faz, mais nada. Mas o meu pó corre mais perigo. Meu pó vira cinza rápido. Quem incendeia? Pode ser a polícia, pode ser qualquer um de nós mesmos, grupos rivais. Quero o fundo do mar. Quero a predileta minha e o meu putinho que nasceu. Um dia vou ser navegante. Vou comprar um barco-estrela com três lugares. Tou doido, viagem legal. A terra vai explodir no mundo-canal da televisão. Aqui fora já explode, malandro! A primeira vez eu não sabia aspirar tudo. Os desejos, os sonhos, a viagem, tudo se atracou na minha garganta. Nem falar eu podia. Um dia vou ser navegante. Quero fazer uma viagem profunda, pro fundo do mar-amor. Predileta minha, o putinho meu e eu, os três... A viagem funda que afunda. A vida vale? A dívida é minha? Com quem dividir essa dívida? Essa dúvida? Dileta minha, putinho meu...

A babá Lidiane, da novela das oito, acabou sozinha. Não gostei do final. Assisti outra novela em que a babá casou com o filho do patrão. Bonito, tudo muito bonito. Chorei de emoção. Quando choro diante de novela, choro também por outras coisas e pela vida ser tão diferente. Choro por coisas que não gosto nem de pensar. Dorvi é companheiro de Bica, minha filha. Fizeram um filho, meu primeiro netinho. Acho que não terei tantos. Não vou deixar Bica virar mulher parideira. Isso de ter muitos filhos era do meu tempo. Nem eu virei. Que Deus me perdoe! Será que minha alma vai padecer no fogo do inferno? Outro dia me contaram que Dorvi está complicado. Eu pensei outro futuro para os meus filhos. Idago, pois é, acabaram com o garoto. Bica é tão inteligente. Na escola sempre se saiu bem, conseguiu estudar até a oitava série. Gosta de televisão, mas tem a mania de implicar com as minhas novelas. Diz que eu vivo no mundo da lua. Engano dela. Eu sei que Dorvi está complicado. Não tem culpa. Ou tem? Conseguiu estabelecer um ponto, arriscou a pele e mantém o próprio negócio, mas confiou na pessoa errada. E agora o pessoal do Baependi, o tal fornecedor, quer a paga. Disseram que, se Dorvi levou um banho, eles é que não vão se banhar na mesma água. Eu sempre gostei de Dorvi, menino que eu vi crescer. Regula idade com Bica, mas não é o companheiro que eu queria para ela. E acho que nem ela. Eu tenho esperanças de que Bica, a minha menina, não sei quando e como, terá outro destino. Desde pequena, era atenta a tudo. Já teve outros namorados, inclusive um rapazinho crente. Bom menino, mas Bica não gostou dele. Dizia que ele era um banana. Eu não entendia por quê. Um menino tão bom e ainda com a garantia de estar longe das drogas. Foi aí que ela encrespou. Bica disse que ele era drogado sim. Drogado pela Bíblia, pelo pastor, pela igreja, enfim. Que nem vontade própria tinha. Não entendi nada, mas passei a observar o menino. Ele realmente parece uma pessoa sem sustância, sem a coragem de Dorvi. Essa diferença eu noto, mas não sei explicar. Acho que, se Dorvi fosse crente, ele daria um bom cristão. Peço à vida para dar um bom tempo para ele. Dorvi está preso por um fio. Puxo o assunto com minha filha. Bica é escorregadia feito baba de quiabo.

Porra, o cara me deu um banho e eu estou escorregando na água dele, com sabão de lavar cachorro. O prazo dele está terminando e o meu também. Busco aquele puto no inferno, pois sei que os homens de Baependi vão me buscar também. Eles me catarão debaixo da saia da minha mãe, se preciso for. E a gente combinamos de não morrer. Que merda, selamos agora a própria morte. E o meu putinho e a dileta minha, onde estão? Bica é menina esperta. É mulher de muita visão. Penso no risco que estou correndo. Risco não, tudo já é certo. A solução está definida. O destino traçado. Não há recuo. Não estou aflito. Não estou desesperado. Não estou calmo. Não estou inocente ou culpado. Apenas estou sabendo que daqui a pouco, questão de um dia e meio, não estarei mais. Nem eu, nem ele. Acabo com ele, mas isto não resolve. Outros acabarão comigo. Nosso trato de vida virou às avessas. Morremos nós, apesar de que a gente combinamos de não morrer. A morte às vezes tem um gosto de gozo? Ou o gozo tem um gosto de morte? Não esqueço o gozo vivido no perigo de meu primeiro mortal trabalho, na minha primeira vez. Um dia os homens subiram o morro. O combinado era o enfrentamento. Até então, eu só tinha feito trabalho pequeno. Vigiar, passar o bagulho, empunhar armas nos becos, garantindo a proteção dos pontos na calada da noite. Naquele dia, mandaram que eu fosse enfrentar também. Eu tinha treze anos. No meio do tiroteio, esporrei, gozei. E juro que não era de medo, foi de prazer. Uma alegria tomava conta de meu corpo inteiro. Senti quando o meu pau cresceu ereto, firme, duro feito a arma que eu segurava nas mãos. Atirei, gozei, atirei, gozei, gozei... Gozei dor e alegria, feito outro momento de gozo que me aconteceu na infância. Eu estava com seis para sete anos e arranquei com as minhas próprias mãos, um dentinho de leite que dançava em minha boca. Minha mãe me chamou de homem. Cuspi sangue. Limpei a baba com as costas da mão, ainda tremendo um pouco, mas correspondi ao elogio. Eu era um homem. Tive um prazer intenso que brincou no meu corpo todo. Tive até um princípio de ereção. Hoje outro prazer ou desprazer formiga o meu corpo por dentro e por fora. Vou matar, vou morrer. É lá no mar que vou ser morrente. Mar-amor, mar-amar, mar-morrente. É no profundo do fundo, que guardarei para sempre as lembranças de meu putinho e da dileta minha.

A casa de Neo caiu. Aprontou, dançou! Mais um, que não será o último, outros virão. Ele, Dorvi, Idago, Crispim, Antônia, Cleuza, Bernadete, Lidinha, Biunda, Neide, Adão e eu temos ou tínhamos (alguns já se foram) a mesma idade. Um ano e às vezes só meses variavam o tempo entre a data de nascimento de um e de outro. Alguns morreram também em datas bem próximas. Apalpo o meu corpo, aqui estou eu. Entre as mulheres quase todas ficaram menstruadas juntas, pela primeira vez. Brincávamos que íamos misturar as nossas regras e selar a nossa irmandade com o nosso íntimo sangue. Os meninos não sei que juras fraternas fizeram. Ah, sei! Dorvi repetia sempre que entre eles havia o pacto de não morrer. Entretanto Dorvi sumiu e Neo também. De Neo já temos notícia. Dançou ao som da música da escopeta de Dorvi. E Dorvi? Nem a mãe dele sabe, nem eu que sou sua mulher, só adivinho só. O que dizer para o nosso filho à medida que ele for crescendo. Quero outro futuro para ele. Será que ainda há dor por vir? E Dorvi? Não sei. E só faço escrever, desde pequena. Adoro inventar uma escrita. Um dia na escola, com meus sete ou oito anos, a professora passou um exercício. Era o de dividir as palavras em sílabas e a partir daí formar novas palavras. Eu já estava de saco cheio (força de expressão que menina não tem saco). Para desconsertar a moça, pedi para ir ao quadro escrever as que eu tinha formado. E escrevi pó, zoeira, maconha. E fui escrevendo mais e mais. Craque, tiro, comando leste, oeste, norte, sul, vermelho e verde também. Na verdade, naquele momento, eu já estava arrependida e queria voltar para o meu lugar. Se é que tenho algum. Mas escrever funciona para mim como uma febre incontrolável, que arde, arde, arde... A professora olhava querendo ser natural, a turma ria e eu escrevia. Gosto de escrever palavras inteiras, cortadas, compostas, frases, não frases. Gosto de ver as palavras plenas de sentido ou carregadas de vazio dependuradas no varal da linha. Palavras caídas, apanhadas, surgidas, inventadas na corda bamba da vida. Outro dia, tarde da noite, ouvi um escritor dizer que ficava perplexo diante da fome do mundo. Perplexo! Eu pedi para ele ter a bondade, a caridade cristã e que incluísse ali todos os tipos de fome, inclusive a minha, que pode ser diferente da fome dos meus. Falei, mas, pelo menos naquele momento, me pareceu que ele fazia ouvidos moucos.

Quem sabe os nossos Orixás que são Humanos e Deuses descrevam para esse escritor outras e outras fomes, aumentando assim, mais ainda, a perplexidade dele. Penso em Dorvi a todo o momento. Ele é para mim um presente incompleto e um futuro vazio. Provavelmente Dorvi não virá mais. Ele que tinha um trato de viver fincado nesta fala desejo:

— A gente combinamos de não morrer.
— Deve haver uma maneira de não morrer tão cedo e de viver uma vida menos cruel. Vivo implicando com as novelas de minha mãe. Entretanto, sei que ela separa e separa com violência os dois mundos. Ela sabe que a verdade da

telinha é a da ficção. Minha mãe sempre costurou a vida com fios de ferro. Tenho fome, outra fome. Meu leite jorra para o alimento de meu filho e de filhos alheios. Quero contagiar de esperanças outras bocas. Lidinha e Biunda tiveram filhos também, meninas. Biunda tem o leite escasso, Lidinha trabalha o dia inteiro. Elas trazem as menininhas para eu alimentar. Entre Dorvi e os companheiros dele havia o pacto de não morrer. Eu sei que não morrer, nem sempre, é viver. Deve haver outros caminhos, saídas mais amenas. Meu filho dorme. Lá fora a sonata seca continua explodindo balas. Neste momento, corpos caídos no chão, devem estar esvaindo em sangue. Eu aqui escrevo e relembro um verso que li um dia. "Escrever é uma maneira de sangrar". Acrescento: e de muito sangrar, muito e muito...

Ayoluwa, a alegria do nosso povo

Quando a menina Ayoluwa, a alegria do nosso povo, nasceu, foi em boa hora para todos. Há muito que em nossa vida tudo pitimbava. Os nossos dias passavam como um café sambango, ralo, frio e sem gosto. Cada dia era sem quê nem porquê. E nós ali amolecidos, sem sustância alguma para aprumar o nosso corpo. Repito: tudo era uma pitimba só. Escassez de tudo. Até a natureza minguava e nos confundia. Ora aparecia um sol desensolarado e que mais se assemelhava a uma bola murcha, lá na nascente. Um frio interior nos possuía então, e nós mal enfrentávamos o dia sob a nula ação da estrela desfeita. Ora gotejava uma chuva de pinguitos tão ralos e escassos que mal molhava as pontas de nossos dedos. E então deu de faltar tudo: mãos para o trabalho, alimentos, água, matéria para os nossos pensamentos e sonhos, palavras para as nossas bocas, cantos para as nossas vozes, movimento, dança, desejos para os nossos corpos. Os mais velhos, acumulados de tanto sofrimento, olhavam para trás e do passado nada reconheciam no presente. Suas lutas, seu fazer e saber, tudo parecia ter se perdido no tempo. O que fizeram, então? Deram de clamar pela morte. E a todo instante eles partiam. E, com a tristeza da falta de lugar em um mundo em que eles não se reconheciam e nem reconheciam mais, muitos se foram. Dentre eles, me lembro de vô Moyo, o que trazia boa saúde, de tio Masud, o afortunado, o velho Abede, o homem abençoado, e outros e outros. Todos estavam enfraquecidos e esquecidos da força que traziam no significado de seus próprios nomes. As velhas mulheres também. Elas, que sempre inventavam formas de enfrentar e vencer a dor, não acreditavam mais na eficácia delas próprias. Como os homens, deslembravam a potência que se achava resguardada partir de suas denominações. E pediam veementemente à vida que esquecesse delas e que as deixasse partir. Foi com esse estado de ânimo que muitas delas empreenderam a derradeira viagem: vovó Amina, a pacífica; tia Sele, a mulher forte como um elefante; mãe Asantewaa, a mulher de guerra, a guerreira; e ainda Malika, a rainha. Com a ida de nossos mais velhos ficamos mais desamparados ainda. E o que dizer para os nossos jovens, a não ser as nossas tristezas?

E até eles, os moços, começaram a se encafuar dentro deles mesmos, a se tornarem infelizes. Puseram-se a matar uns aos outros, e a atentar contra a própria vida, bebendo líquidos maléficos ou aspirando um tipo de areia fininha que em poucos dias acumulava e endurecia dentro de seus pulmões. Ou então se deixavam morrer aos poucos, cada dia um pouquinho, descrentes de que pudesse existir outra vida senão aquela, para viver. As mães, dias e noites, choravam no centro do povoado. A visão dos corpos jovens dilacerados era a paisagem maior e corriqueira diante de nossos olhos.

O milagre da vida deixou de acontecer também, nenhuma criança nascia e, sem a chegada dos pequenos, tudo piorou. As velhas parteiras do povoado, cansadas de esperar por novos nascimentos, sem função, haviam desistido igualmente de viver. Tinham percebido, na escassez dos partos, que suas mãos não tinham mais a serventia de aparar a vida. Nenhuma família mais festejava a esperança que renascia no surgimento da prole. As crianças foram esquecidas, ficando longe do coração dos grandes. E os pequenos, os que já existiam, como Mandisa, a doce; Kizzi, a que veio para ficar; Zola, a produtiva; Nyame, o criador; Lutalo, o guerreiro; Bwerani, o bem-vindo; e os bem novinhos, alguns sem palavras ainda na boca, só faziam chorar. Pranto em vão, já que os pais, entregues às suas próprias tristezas, desprezavam as de seus rebentos. O nosso povoado infértil morria à míngua e mais e mais a nossa vida passou a desesperançar...

À noite, quando reuníamos em volta de uma fogueira mais de cinzas do que de fogo, a combustão maior vinha de nossos lamentos. E, em uma dessas noites de macambúzia fala, de um estado tal de banzo, como se a dor nunca mais fosse se apartar de nós, uma mulher, a mais jovem da desfalcada roda, trouxe uma boa fala. Bamidele, a esperança, anunciou que ia ter um filho.

A partir daquele momento, não houve quem não fosse fecundado pela esperança, dom que Bamidele trazia no sentido de seu nome. Toda a comunidade, mulheres, homens, os poucos velhos que ainda persistiam vivos, alguns mais jovens que escolheram não morrer, os pequenininhos que ainda não tinham sido contaminados totalmente pela tristeza, todos se engravidaram da criança nossa, do ser que ia chegar. E antes, muito antes de sabermos , a vida dele já estava escrita na linha circular de nosso tempo. Lá estava mais uma nossa descendência sendo lançada à vida pelas mãos de nossos ancestrais. Ficamos plenos de esperança, mas não cegos diante de todas as nossas dificuldades. Sabíamos que tínhamos várias questões a enfrentar. A maior era a nossa dificuldade interior de acreditar novamente no valor da vida... Mas sempre inventamos a nossa sobrevivência. Entre nós, ainda estava a experiente Omolara, a que havia nascido no tempo certo. Parteira que repetia com sucesso a história de seu próprio nascimento, Omolara havia se recusado a se deixar morrer.

E no momento exato em que a vida milagrou no ventre de Bamidele, Omolara, aquela que tinha o dom de fazer vir as pessoas ao mundo, a conhecedora de todo ritual do nascimento, acolheu a criança de Bamidele. Uma menina que buscava caminho em meio à correnteza das águas íntimas de sua mãe. E todas nós sentimos, no instante em que Ayoluwa nascia, todas nós sentimos algo se contorcer em nossos ventres, os homens também. Ninguém se assustou. Sabíamos que estávamos parindo em nós mesmos uma nova vida. E foi bonito o primeiro choro daquela que veio para trazer a alegria para o nosso povo. O seu inicial grito, comprovando que nascia viva, acordou todos nós. E a partir daí tudo mudou. Tomamos novamente a vida com as nossas mãos.

Ayoluwa, alegria de nosso povo, continua entre nós, ela veio não com a promessa da salvação, mas também não veio para morrer na cruz. Não digo que esse mundo desconsertado já se consertou. Mas Ayoluwa, alegria de nosso povo, e sua mãe, Bamidele, a esperança, continuam fermentando o pão nosso de cada dia. E quando a dor vem encostar-se a nós, enquanto um olho chora, o outro espia o tempo procurando a solução.

Este livro foi impresso em abril de 2025, na Gráfica Eskenazi, em São Paulo.
O papel de miolo é o offset 75g/m² e o de capa cartão 250g/m².